DYNION DIEFLIG

DYNION DIEFLIG

DYFED EDWARDS

y Lolfa

Argraffiad cyntaf: 2008

Dymuna'r cyhoeddwyr gydnabod cymorth ariannol
Cyngor Llyfrau Cymru

Cynllun y clawr: Y Lolfa

Rhif Llyfr Rhyngwladol: 978 1 84771 062 8

Cyhoeddwyd ac argraffwyd yng Nghymru
gan Y Lolfa Cyf., Talybont, Ceredigion SY24 5HE
gwefan www.ylolfa.com
e-bost ylolfa@ylolfa.com
ffôn 01970 832 304
ffacs 832 782

DIOLCHIADAU

HOFFAI'R AWDUR ddiolch i'r canlynol am eu cymorth a'u harbenigedd: Gwyn Roberts, cyn-CID Heddlu Gogledd Cymru; Gareth Hughes, cyn-ohebydd y *Daily Post*; Jeff Eames, golygydd papurau'r *Herald*, Caernarfon; Richard Williams, golygydd lluniau'r *Liverpool Echo*; Richard Williams, cyn-olygydd y *South Wales Echo*; Tony Woolway, llyfrgellydd y *Western Mail & Echo*, Caerdydd; Ian Parri, newyddiadurwr a cholofnydd; Brian Howes, golygydd cynllunio y *Daily Post*; Maria Breslin, golygydd newyddion y *Liverpool Echo*; Gerallt Radcliffe, ffotograffydd y *Daily Post*; archifdai Conwy a Sir Fôn.

Hoffai'r awdur gyfeirio darllenwyr sydd am fwy o wybodaeth ynglŷn ag achos llofruddiaeth Lynette White, at lyfr hynod Satish Sekar, *Fitted In: The Cardiff 3 and the Lynette White Inquiry*. Mae'r awdur yn ddyledus i Satish Sekar, ac yn edmygu'r gyfrol, a gyhoeddwyd yn 1997. Mae llawer o'r wybodaeth a gynhwysir yn y bennod 'Bai Ar Gam' wedi deillio o'r llyfr *Fitted In*. Mae'r awdur yn derbyn cyfrifoldeb am unrhyw gamgymeriad sydd yn ymddangos yn nhudalennau *Dynion Dieflig*. Mae rhan helaeth o'r wybodaeth sydd yn y gyfrol wedi deillio o adroddiadau papur newydd, a hoffai'r awdur ddiolch i'r gohebwyr a'r cyhoeddiadau sydd wedi cael eu dyfynnu ganddo.

DYFED EDWARDS

CYFLWYNIAD: TU ÔL I'R PENAWDAU

MAE PENAWDAU PAPURAU NEWYDD yn codi ofn. Mae'r wasg genedlaethol, yn enwedig, yn rhoi'r argraff fod ein strydoedd yn byrlymu â llofruddion, treiswyr, pedoffiliaid, lladron. Yn ôl y penawdau, mae'n beryg bywyd camu o'r tŷ. Mae hi fel y Gorllewin Gwyllt; mae'n waeth nag y bu erioed; mae cymdeithas wedi mynd ar chwâl.

Ond pwrpas pennawd papur newydd yw denu darllenwyr – ysgogi cwsmer i brynu'r cynnyrch. Nid microcosm o fywyd yw stori bapur newydd; eithriad i fywyd yw stori bapur newydd. Felly hefyd yr achosion sydd yn gynwysedig yn y llyfr hwn: maen nhw'n frawychus; maen nhw'n ddychrynllyd; maen nhw'n eithriadau.

Wrth gwrs, nid yw hyn yn gysur i'r rhai sydd yn wirioneddol bryderu pan glywant am lofruddiaeth neu drosedd ddieflig. Datgelodd ymchwil gan y BBC yn 2002 fod 20 y cant o bobl dros 55 oed yn ofni mynd allan ar ôl iddi dywyllu. Roedd 35 y cant o'r rhai a holwyd am weld y gosb eithaf yn cael ei hailgyflwyno. Dosbarthwyd 500 o larymau personol drwy Sir Fôn yn sgil llofruddiaeth Mabel Leyshon yn Llanfairpwll yn Nhachwedd 2001.

Ond mae canfyddiad y cyhoedd ynglŷn â thor-cyfraith

– yn enwedig troseddau treisiol – yn gwrthgyferbynnu â'r ffeithiau. Mae'r ystadegau'n dangos bod Cymru'n wlad ddigon diogel i fyw ynddi. Mae tor-cyfraith yng Nghymru wedi syrthio dros y blynyddoedd diwethaf. Yn ôl yr Arolwg Troseddau Prydeinig (British Crime Survey), cofnodwyd 177,901 o droseddau yng Nghymru yn 2003-04. Yn 2006-07, cofnodwyd 160,305 trosedd – cwymp o ddeg y cant rhwng 2003 a 2007.

Wrth gwrs, mae'r ffigurau'n ddadleuol; mae dadlau ynglŷn â'r modd y mae troseddau'n cael eu mesur. Ac mae gwleidyddion Torïaidd yn barod i ymosod ar lywodraeth Llafur sy'n hawlio ei bod wedi llwyddo i ostwng ffigurau tor-cyfraith – ac mae'r gwrthwyneb yn wir. Pêl wleidyddol i'w tharo o'r naill ochr o'r cwrt i'r llall yw tor-cyfraith. Ymddengys ei bod yn well gan wleidyddion ddadlau ynglŷn â'r modd y maent yn bwriadu ymdrin â'r broblem yn hytrach na mynd ati i'w datrys o ddifri. Mae'r Ddeddf Hawliau Dynol yn cael ei melltithio ar y naill law, a'i bendithio ar y llaw arall. Mae gan droseddwyr fwy o hawliau na'r dioddefwyr, meddai un ochr; mae'n rhaid i droseddwyr wrth driniaeth deg er mwyn iddyn nhw gael eu hadfer, meddai'r ochr arall. Mae ASBOs yn symbol o falchder i lanciau anifeilaidd, yn ôl rhai sylwebyddion; mae ASBOs yn gwaradwyddo cenhedlaeth sy'n gwneud dim ond ymddwyn fel y gwnaeth miloedd o ieuenctid dros y blynyddoedd, yn ôl eraill. Mae'n rhaid erlid hyd yn oed fân droseddwyr, a'u carcharu os yw eu trosedd yn dreisiol, yn ôl rhai; ni ddylid danfon fandaliaid a siopladron a phedoffiliaid i'r carchar, ond yn hytrach rhaid eu cosbi o fewn y gymuned, yw barn eraill.

Mae'r dadlau'n ddiddiwedd; mae'r cyhoedd yn cael llond bol, ac mae eu pryder a'u canfyddiadau ynglŷn â throseddau'n cynyddu. Ond mae ganddynt hefyd yr awydd i ddarllen ynglŷn â thor-cyfraith. Profir hynny gan werthiant papurau newydd yn ystod ymchwiliad i droseddau anghyffredin ac anghynnes. Cynyddodd gwerthiant y *Daily Post* wyth y cant yn ystod yr ymchwiliad i lofruddiaeth Mabel Leyshon. Peidiwch, felly, â beio'r papurau newydd a'r cyfryngau; peidiwch â hefru ynglŷn â chyffrogarwch. Y cyhoedd sy'n prynu'r papurau newydd wedi'r cyfan; y cyhoedd sy'n awchu am ddarllen am y pethau dychrynllyd hyn. Yr unig beth y mae golygyddion papur newydd a chynhyrchwyr teledu yn ei wneud ydi bwydo'r awydd hwnnw.

Er yr awydd sydd gan y cyhoedd i fwydo ar wybodaeth ynglŷn â'r bwystfilod sydd yn ein mysg, byddai pawb yn fodlonach eu byd pe bai'n bosib atal llofruddion fel Ian Brady, Denis Nilsen, Ted Bundy a Peter Moore cyn iddyn nhw gychwyn ar eu dinistr. Ond pwy sydd â'r gallu i atal y ffasiwn lofruddion?

Yr ateb, yn anffodus, ydi: neb.

Mi all llywodraeth ddeddfu yn erbyn ymddygiad gwrthgymdeithasol, bwrgleriaeth, defnyddio a delio â chyffuriau, ac yn y blaen, ac yn y blaen, ac mae hi'n bosib – ac mae gofyn bod yn ffyddiog yn hyn o beth – adfer ambell ddrwgweithredwr.

Ond mae yna rai troseddau, ac mae pump ohonynt wedi eu hamlinellu yn y llyfr hwn, y tu hwnt i ddeddf gwlad.

Mae'n anodd credu y byddai llofrudd Mandy Power a'i theulu, llofrudd Mabel Leyshon a llofrudd Lynette White wedi oedi pe bai Prydain yn dienyddio drwgweithredwyr. Nid oes unrhyw dystiolaeth i ddangos bod y gosb eithaf yn achosi darpar lofrudd i ailgysidro. Nid oes llai o lofruddiaethau yn y cyfundrefnau hynny sy'n crogi, neu'n trydanu, neu'n gwenwyno'u troseddwyr mwyaf dieflig.

Wrth gwrs, mae'r gosb eithaf yn sicrhau na fydd llofrudd yn cael ei ryddhau i ladd unwaith eto – yn hynny o beth, mae dienyddio'n atalfa. Ond nid yw'r gosb – ar ddu a gwyn yn llyfr y statud – yn debyg o rwystro neb sydd wedi cymryd yn ei ben ei fod am achosi'r niwed eithaf i unigolyn arall.

Fel y crybwyllwyd, mae'r troseddau a ddarlunnir yn *Dynion Dieflig* yn eithriadau. Nid ymddygiad gwrthgymdeithasol a geir yma; nid llabwst yn malu ffenest neu'n dwyn car. Gellir trin y llabwst; gellir deddfu i'w atal a'i gosbi. Ond ni fyddai'r un ddeddf wedi rhwystro llofrudd Henry Roberts, Edward Carty, Keith Randles ac Anthony Davies yn 1995.

Gellir dadlau bod ymddygiad gwrthgymdeithasol – neu agweddau o ymddygiad gwrthgymdeithasol, fel mygio rhywun am ei iPod neu'i ffôn symudol, er enghraifft – yn ffenomen gyfoes; troseddau sy'n unigryw i'r unfed ganrif ar hugain. Ond nid yw hynny'n wir am y troseddau sydd yn gynwysedig yn *Dynion Dieflig*. Mae'r rhain yn droseddau sy'n rhychwantu hanes; mae creulondeb dyn tuag at ei gyd-ddyn yn hynafol.

Nid yw hynny'n debyg o dawelu'r pesimistiaid sy'n mynnu bod y byd ar ben. Nid yw'n debyg o leddfu awydd y golygydd i lunio pennawd ysgytwol. Nid yw'n debyg o ddofi diddordeb y cyhoedd mewn trychinebau dynol. Fe aeth y wasg a'r cyhoedd yn wyllt dros Jack the Ripper a'i droseddau anllad ar ddiwedd y bedwaredd ganrif ar bymtheg. Fe aethant yn wyllt dros weithredoedd y Yorkshire Ripper yn yr ugeinfed ganrif ac fe ânt yn wyllt eto pan fydd y bwystfil nesaf ar droed gan fod hwnnw'n siŵr o ddod. Fel y crybwyllais, ni ellir deddfu i'w rwystro.

Ond y tu ôl i'r penawdau, y tu ôl i'r hefru, y tu ôl i'r moesoli, rhaid peidio ag anghofio'r dioddefwyr.

Y llofrudd, mewn achosion brawychus fel y rhai a gyhoeddir yma, sy'n tueddu i gael y sylw: ei gymhelliad o, ei gefndir o, sydd o ddiddordeb. Mae rhyw fytholeg, weithiau, yn gweu o gwmpas yr achosion hyn. Mae hynny wedi digwydd yn achos Jack the Ripper. Ond y tu ôl i'r ffuglen, i'r ffantasi, i'r ffieidd-dra, mae yna bobl go iawn; y tu ôl i'r tudalennau hyn mae yna unigolion fel chi a fi. Mae'n bwysig eu cofio, felly, gan na fydd neb yn ysgrifennu llyfr amdanyn nhw heb eu cysylltu â'r modd y buont farw: Mandy, Katie ac Emily Power, a Doris Dawson; Lynette White; Mabel Leyshon; Henry Roberts, Edward Carty, Keith Randles ac Anthony Davies.

ACHOS 1: MATHEW HARDMAN
BYW AM BYTH

SYLWODD Glenys Groom fod llenni Ger y Tŵr ar gau. Roedd hi'n hanner awr wedi hanner dydd. Byddai Mabel Leyshon, oedd yn byw yn y byngalo, ar ei thraed am saith o'r gloch bob bore. Dilynai'r weddw 90 oed drefn feunyddiol. Gwyddai Mrs Groom fod rhywbeth o'i le.

Bu Mabel Leyshon yn byw yn Llanfairpwll ers degawdau, ond doedd fawr neb yn adnabod yr hen wraig. Nid bod Llanfairpwll yn ddigroeso – i'r gwrthwyneb – dewis Mrs Leyshon oedd byw yn ei chragen. Magwyd hi yn ardal Llangefni. Priododd y Capten William Leyshon, a oedd yn filfeddyg y Weinyddiaeth ar Sir Fôn. Roeddynt yn byw yn Llanfairpwll. Bu farw'r Capten Leyshon bron i 40 mlynedd ynghynt, ac nid oedd gan y pâr blant. I'r rhai oedd yn gyfarwydd â Mrs Leyshon, roedd hi'n ddymunol, yn gyfeillgar ac yn hawddgar. Ond roedd hi hefyd yn berson preifat a phrin y byddai'n croesawu neb i Ger y Tŵr.

Heblaw am Mrs Groom, yr unig rai a oedd yn galw i

weld y weddw oedd ei chyfnither, Beatrice Williams, a'r garddwr. Galwai Mrs Williams draw ar ddydd Mawrth neu ddydd Iau. Cyrhaeddai Ger y Tŵr am un o'r gloch y prynhawn. Byddai hi a Mrs Leyshon yn mynd allan i siopa. Bu'r ddwy yn Marks & Spencer yn Llandudno y dydd Iau blaenorol. Byddai Mrs Leyshon yn mynd allan i gael trin ei gwallt yn reit aml, hefyd. Byddai'n mynd i drafferth dros ei hedrychiad: ei gweithred gyntaf ar ôl codi yn y bore oedd rhoi minlliw ar ei gwefusau. Treuliai'r prynhawn yn gwylio'r teledu. Byddai Mrs Groom yn paratoi prydau bwyd iddi, ond rhwng pump a chwech bob prynhawn, Mrs Leyshon ei hun fyddai'n ei baratoi. Ddwy awr yn ddiweddarach byddai'n bwyta uwd neu ffrwyth, neu efallai'n yfed diod o oren. Yna byddai'n gwylio'r teledu. Amser gwely i Mrs Leyshon oedd un ar ddeg, ond roedd hynny'n dibynnu ar yr hyn oedd ar y teledu. Roedd hi'n mwynhau materion cyfoes, ac yn hoff o raglenni gwleidyddol.

Roedd y weddw yn ddynes annibynnol ac yn drefnus dros ben. Defnyddiai system anghyffredin i atgoffa'i hun fod ganddi dasg i'w chwblhau, sef casgliad o dedi bêrs. Byddai'n gosod un o'r teganau o flaen y tân trydan, er enghraifft, er mwyn ei hatgoffa i ddiffodd y tân cyn mynd i'r gwely. Doedd dim amheuaeth, felly, fod Mabel Leyshon yn medru edrych ar ôl ei hun. Ond roedd hi'n braf iddi gael cwmni, ac roedd yn help bod rhywun yn fodlon paratoi pryd iddi o dro i dro. Daeth Mrs Groom draw y Sul hwnnw efo cinio i'r weddw ond ni chafodd y croeso arferol. Doedd dim ateb yng Nger y Tŵr a phan welodd Mrs Groom fod ffenest wedi ei malu yng nghefn y byngalo, gwyddai fod rhywbeth o'i le.

Derbyniodd yr heddlu alwad am 12.29 p.m. ar 25 Tachwedd 2001.

* * *

PC Alison Hughes a PC Neil Andrew Jones o orsaf Porthaethwy a frysiodd draw i Lanfairpwll. Pliciodd y ddau ohonynt y gwydr maluriedig o'r ffenest oedd wedi ei thorri, ac yna llithro i mewn i'r tŷ drwy'r bwlch. Stafell fesul stafell, chwiliasant y tŷ.

Daethant i'r stafell fyw. PC Hughes a sylwodd ar y tymheredd: ffrwd ffyrnig o wres crasboeth. Roedd hi'n 76°F yn y stafell. Sylwodd fod tri bar y tân trydan ymlaen a'r tân yn oren llachar. Crwydrodd llygaid PC Hughes o gwmpas y stafell. I'r chwith o'r tân roedd dau brocer wedi eu gosod ar ffurf croes; i'r dde, safai canhwyllbren.

Sylwodd y blismones ar gadair ac arni orchudd brown a hufen. Edrychodd PC Hughes yn fwy gofalus. Roedd dwy goes yn ymwthio i'r golwg – dwy goes noeth. Cydiodd PC Hughes yn y blanced a'i symud o'r neilltu. Gorweddai Mabel Leyshon yn y gadair gydag anaf sylweddol yn ei brest, ei breichiau'n friwiau drostynt a'i chorff yn waedlyd.

*   *   *

Roedd Mabel Leyshon wedi brwydro am ei bywyd. Trywanwyd hi 22 o weithiau â chyllell ac iddi lafn 14cm o hyd, yn ôl y patholegydd. Roedd ganddi sawl anaf i'w breichiau a'i dwylo – anafiadau a achoswyd wrth i'r weddw ei hamddiffyn ei hun a cheisio cydio yng nghyllell ei hymosodwr, neu godi ei braich i'w atal rhag ei thrywanu.

Roedd ei llofrudd wedi ymosod ar yr hen wraig o'r tu ôl. Roedd hi'n eistedd yn ei chadair yn gwylio'r teledu ar y pryd. Roedd Mrs Leyshon bron yn fyddar, a chan fod sain y teledu wedi ei droi i fyny hefyd, ni chlywodd hi'r dieithryn yn torri i mewn i'r tŷ ac yna'n cripian i'r stafell i ymosod arni.

Dywedodd Brian Rodgers, patholegydd y Swyddfa Gartref, fod Mrs Leyshon wedi ymladd cryn dipyn. Er ei bod hi'n hen, bron yn ddall, yn fregus ar ei thraed, ac yn pwyso prin saith stôn, dangosodd y weddw fod ganddi asgwrn cefn.

Ar ôl ei lladd, roedd y llofrudd wedi symud ei chorff i gadair arall. Rhoddodd ei choesau i orffwys ar stôl. Torrodd dri hollt yn ei choes i ddiferu'r gwaed o'i chorff. Daeth ditectifs o hyd i blât arian yn ymyl corff Mrs Leyshon ac arno sosban goch. Tu mewn i'r sosban roedd rhywbeth wedi ei lapio mewn papur newydd. Danfonwyd y pecyn i Ysbyty Gwynedd, Bangor, lle byddai Dr Rodgers yn cynnal awtopsi. Dadlapiodd y patholegydd y pecyn papur newydd. Ynddo roedd calon Mabel Leyshon.

* * *

Brawychwyd y gymuned gan y llofruddiaeth. Dywedodd y Ditectif Brif Arolygydd John Clayton mai mwrdwr Mrs Leyshon oedd y drosedd waetha a welsai erioed. Roedd ditectifs yn disgrifio'r llofruddiaeth fel yr un fwyaf 'brwnt a chreulon' iddynt ddod ar ei thraws. Fel y gellid disgwyl, roedd yna banig yn Llanfairpwll, yn enwedig ymysg yr henoed.

"Does unlle'n saff bellach," meddai John Lazarus Williams wrth y *Daily Post*. Roedd Mr Williams yn ei saithdegau, yn gyn-gynghorydd sir uchel ei barch, a dim yn un i or-ddweud. Pan ddywedodd Mr Williams ei fod o bellach yn cloi ei ddrws, doedd o ddim yn gorliwio.

Roedd Megan Williams yn adnabyddus yn Llanfairpwll. 'Modryb Megan' oedd hi i genedlaethau o blant Ysgol Sul Capel Rhos y Gad, ac roedd hi yn ei nawdegau. Dywedodd hi wrth y *Daily Post*, "Rydw i wedi byw yn y pentre drwy gydol fy oes ac erioed yn fy myw wedi clywed am beth mor ddychrynllyd."

Dywedodd Catherine Thomas, hefyd yn ei nawdegau, "Tydw i erioed wedi teimlo'n ofnus o ddim yma; ond mae gen i fymryn o ofn rŵan."

Datgelodd Frank Jones wrth y BBC fod trigolion Llanfairpwll yn fwy ymwybodol o ddiogelwch ers i Mrs Leyshon gael ei llofruddio. Yn wir, wythnosau wedi'r digwyddiad, gosodwyd camerâu cylch cyfyng yn y pentre.

Ond pwy oedd wedi cyflawni'r ffasiwn drosedd? Wrth i fanylion y lladd gael eu datgelu dros y dyddiau a ddilynodd, roedd y braw'n lledaenu a'r theorïau'n cynyddu. Ai cwlt oedd wedi lladd Mrs Leyshon? Ai cylch o laddwyr gwallgof?

Gwelwyd fan las (neu un wen yn ôl ambell lygad-dyst) y tu allan i dŷ Mrs Leyshon ddyddiau cyn y llofruddiaeth. Roedd yr heddlu am sgwrsio efo'r gŵr a eisteddai yn sedd y teithiwr.

A phwy oedd y dyn oedd yn loetran y tu allan i Ger y Tŵr ar y dydd Sadwrn tyngedfennol? Fel mae'n digwydd, nid loetran roedd o. Cysylltodd â'r heddlu a daeth ymlaen i gael ei holi. Disgwyl am lifft i'w waith roedd o. Beth am gigyddion a gweithwyr lladd-dai? Rhai oedd â'r gallu, efallai, i dynnu calon o gorff? Roedd y rheini'n cael eu holi hefyd, yn ôl y wasg. Ac oherwydd natur ddieflig ac annaturiol y drosedd, cysylltodd Heddlu Gogledd Cymru â'r FBI yn yr Unol Daleithiau, ac ag Interpol.

Roedd yna drywydd gwahanol i'w ddilyn bob dydd wrth i arbenigwyr o'r Gwasanaeth Gwyddoniaeth Fforensig yn Chorley, Swydd Gaerhirfryn, fynd drwy

Ger y Tŵr â chrib mân. Roedden nhw yno am bythefnos yn chwilio am dystiolaeth a fyddai'n cynorthwyo'r heddlu i ddal llofrudd Mrs Leyshon. Darganfu'r tîm sampl o waed y weddw ar sil ffenest ond roedd y sampl yn cynnwys DNA ail berson hefyd. Daethant o hyd i hoel esgid chwith ar y gwydr a falwyd gan y troseddwr wrth iddo dorri i mewn i'r tŷ. Esgid o fath Levi oedd hi; un ddigon anghyffredin. Hefyd, dangosodd profion fod marc gwefus ar ymyl y sosban a oedd yn ymyl corff Mrs Leyshon.

Yna, rai dyddiau ar ôl y drosedd, daeth tro i'r stori. Ar 5 Rhagfyr 2001, daethpwyd o hyd i gorff Patricia Thomason, 59 oed, mewn mynwent yng Nghemaes yng ngogledd Sir Fôn. Ai hi oedd ail ysglyfaeth y llofrudd? Tua'r un amser, darganfuwyd corff dyn wrth droed Pont Britannia, prin ddwy filltir o gartref Mrs Leyshon. Roedd yr unigolyn wedi rhoi ei hun ar dân, ac wedi neidio o'r bont. Yn naturiol, dechreuodd straeon ledaenu – ai hwn oedd llofrudd Mabel Leyshon, ac, o bosib, Patricia Thomason? Ai difa'i hun ddaru o ar ôl cael ei boenydio gan euogrwydd? Ai rhan o'r ddefod anllad oedd yr hunanladdiad?

* * *

Dyn lleol, 37 oed, a daflodd ei hun oddi ar Bont Britannia. Roedd o'n byw ym mhentre Gaerwen, rhyw ddwy filltir o Lanfairpwll. Ni ŵyr neb hyd heddiw pam y gwnaeth o ei ddifa'i hun: ni ddatgelwyd hynny yn y cwest. Ond mae un peth yn sicr: nid y gŵr hwn a lofruddiodd Mabel Leyshon. Rydan ni'n gwybod hynny heddiw ond ar y pryd bu'n rhaid i'w deulu ddatgan yn gyhoeddus nad oedd ganddo ddim i'w wneud â'r drosedd. Roedd hynny'n gyfnod anodd iddyn nhw, heb os – un oedd yn annwyl iddyn nhw'n ei ddifa'i hun, ond yn ei ddifa'i hun yn ystod un o'r ymchwiliadau troseddol mwyaf erioed yng Ngogledd Cymru. Roedd rhywun yn siŵr o bwyntio bys; mae pobol yn hel straeon ar y ffasiwn adegau. Caiff digwyddiadau a honiadau eu cysylltu wrth i'r cyhoedd a'r wasg geisio datrys dirgelwch.

Mewn gwirionedd, dyfalbarhad ac arbenigedd sy'n datrys trosedd. A diolch i ddygnwch ac ymroddiad yr heddlu a'r arbenigwyr fforensig, y sylw a gafodd yr achos yn y wasg a'r cyfryngau, a hefyd ar raglen *Crimewatch* y BBC, dechreuodd y rhwyd gau.

Ddiwrnod ar ôl i'r heddlu ryddhau manylion am anafiadau Mabel Leyshon i'r wasg, derbyniodd yr heddlu alwad. Awgrymodd yr unigolyn y dylent ymchwilio i ymosodiad a ddigwyddodd yn Llanfairpwll rai wythnosau cyn y llofruddiaeth. Cafwyd galwad arall ynglŷn â'r digwyddiad anghynnes yn dilyn apêl am fanylion ar raglen *Crimewatch*.

* * *

Ar nos Sadwrn, 22 Medi 2001, fe aeth llanc lleol o'r enw Mathew Hardman i dŷ yn Llanfairpwll lle roedd myfyrwraig 16 oed o'r Almaen yn byw. Roedd cyd-fyfyriwr i Mathew yng Ngholeg Menai, Bangor, yn byw yn y tŷ. Sgwrsiodd Mathew â'r ferch yn ei stafell am bron i ddwy awr. Buont yn trafod crefydd, ysbrydion a fampirod. Roedd y ferch yn gwybod tipyn go lew am fampirod a gwnaeth hyn gryn argraff ar Mathew, 17 oed. Dywedodd Mathew wrthi fod Llanfairpwll yn lle perffaith i fampirod gan fod y pentre'n llawn o henoed: pe bai un ohonyn nhw'n marw ar ôl cael ei frathu, byddai pawb yn meddwl mai trawiad ar y galon oedd achos y farwolaeth, meddai wrth y ferch. Datgelodd Mathew ei fod wedi datrys cyfrinach y ferch: roedd hi'n fampir. Gorweddodd ar lawr ei stafell, cau ei lygaid, a gofyn iddi ei frathu. Roedd y ferch yn meddwl mai malu awyr oedd y llanc ac ymdrechodd i newid y sgwrs, ond roedd hi braidd yn ofnus.

Yna, dywedodd Mathew, "Rydw i wedi bod yn aros am y foment hon ar hyd fy oes. Gwna fi'n fampir. Bratha fi." Roedd y ferch wedi dychryn. Agorodd Mathew ei lygaid a dweud, "Tyrd 'laen, dw i'n disgwyl. Bratha fi." Dywedodd y ferch wrtho am fynd, am adael llonydd iddi hi, ond dechreuodd Mathew golli ei dymer. Credai'r ferch ei fod wedi meddwi neu ar gyffuriau. Roedd ei lygaid yn rowlio yn ei ben.

Cydiodd Mathew ynddi. Brwydrodd y ferch. Ond

roedd o'n llanc mawr, dros ei chwe throedfedd, ac yn gryf.

"Bratha fi," meddai wrthi. "Paid â dweud anwiredd wrtha i: rwyt ti'n fampir."

Syrthiodd y ferch rhwng y gwely a'r cwpwrdd. Dringodd Mathew ar ei thraws hi. Ceisiodd y ferch ei ddyrnu, ond chafodd hynny fawr o effaith. Criodd y ferch druan a theimlai ei bod yn tagu gan ei fod o'n gwasgu ar ei brest.

Dywedodd Mathew, "Bratha fi os na fedri di anadlu." Roedd hi wedi dychryn. Roedd golwg frawychus yn ei lygaid. Llwyddodd y fyfyrwraig i gamu tuag at y drws, ond cydiodd Mathew ynddi a'i rhybuddio i beidio dianc. Syrthiodd y ferch eto, a disgynnodd Mathew ar ei phen, a mynnu eto ei bod hi'n ei frathu. Roedd o'n dal ati i weiddi, "Bratha fi, bratha fi!" Ceisiodd y ferch ei ddyrnu eto, ac yna cymerodd arni ei bod yn anymwybodol. Ni fedrai'r greadures anadlu.

Daeth perchennog y llety i ddrws y stafell. Ceisiodd honno, a chyfaill Mathew o'r coleg, ei hel o'r tŷ. "Na!" gwaeddodd Mathew. "Peidiwch â fy hel i allan. Rydw i'n credu, rydw i'n gwybod, eich bod chi i gyd yn fampirod. Dowch, brathwch fi."

Ffoniodd perchennog y tŷ'r heddlu. Galwodd Sarjant Peter Nicholson draw am 1.30 a.m. a dyna lle roedd Mathew yn eistedd ar y soffa. Ceisiodd y sarjant ei orau glas i siarad efo Mathew, ei berswadio i adael y tŷ'n heddychlon. Yr unig beth a ddywedodd Mathew oedd, "Brathwch fy ngwddw i, brathwch fy ngwddw i."

Arestiwyd Mathew am darfu ar yr heddwch, ond ni chafodd ei gyhuddo. Wedi'r cyfan, beth sy'n anghyffredin mewn llanc ifanc yn dangos diddordeb mewn fampirod, yn y goruwchnaturiol, mewn ysbrydion? Fawr ddim, cyn belled ag i'r diddordeb hwnnw beidio â datblygu'n obsesiwn, wrth gwrs, a datblygu'n awydd i ladd. A oedd awydd Mathew i gael ei frathu'n arddangos arwyddion o obsesiwn? Mae sbectrwm eang o bobl yn cael eu denu i fyd fampirod – o bobol ifainc sy'n mwynhau'r gyfres boblogaidd *Buffy the Vampire Slayer* i'r rhai sy'n byw fel fampirod ac yn yfed gwaed dynol wedi ei roi gan wirfoddolwyr bodlon. Esboniodd Arlene Russo, golygydd y cylchgrawn *Bite Me,* wrth y *Daily Post* fod hyn, gan mwyaf, yn golygu gwneud toriad bach yng nghroen cariad neu gyfaill, ac yna yfed diferyn o waed o'r anaf. Mae hyn yn swnio'n wyrdroëdig i'r mwyafrif ohonom, gan gynnwys y rhai sydd â diddordeb yn y *genre* arswyd. Ond does dim i awgrymu y byddai rhywun sy'n yfed gwaed oedolyn cydsyniol – pa mor wrthun bynnag yw hynny i weddill cymdeithas – yn debyg o ladd gwraig weddw a rhwygo'i chalon o'i brest.

Er hyn, roedd yna le i bryderu ynglŷn ag ymddygiad Mathew Hardman yn y tŷ llety: y modd y dychrynodd y ferch 16 oed; y modd y mynnodd iddi ei frathu a'i droi'n fampir. Roedd o wedi smygu canabis y diwrnod hwnnw, a does dim amheuaeth fod y cyffur wedi dylanwadu arno. Ydi hynny'n esgus? Nac ydi, wrth gwrs. Ond roedd y llanc yn arddangos arwyddion o obsesiwn â chwlt y fampir. Yn anffodus, ni wnaeth yr heddlu lleol gysylltu'r digwyddiad ar 22 Medi yn Llanfairpwll â llofruddiaeth Mabel Leyshon, ddeufis yn ddiweddarach. Bu hynny'n syndod i'r Ditectif Uwch Arolygydd Alan Jones, y gŵr oedd yn arwain yr ymchwiliad i farwolaeth y weddw.

* * *

Fel llawer o'i gyfoedion, roedd gan Mathew Hardman ddiddordeb mewn gêmau cyfrifiadur, teledu, cerddoriaeth (roedd o'n hoff o Marilyn Manson a Slipknot), celf, cylchgronau a mynd allan i yfed gyda'i ffrindiau.

Ganed Mathew Paul Thomas Hardman ar 27 Hydref 1984. Magwyd o yn Amlwch, yng ngogledd Sir Fôn, yr ieuengaf o dri o blant, a'r unig fachgen. Roedd o'n llanc hawddgar, yn ôl un o'i athrawon, ac yn barod iawn i ddweud "diolch yn fawr" ac "os gwelwch yn dda". Doedd o byth yn cambihafio yn y dosbarth ac roedd o bob amser yn trio'i orau. Ond eto, meddai'r athro, roedd Mathew'n llanc nad oedd, mewn gwirionedd, fel petai'n rhan o'r dosbarth.

Daeth Mathew i fyw i Lanfairpwll yn 1998 pan oedd o'n dair ar ddeg. Setlodd mewn byngalo yn y pentre gyda'i fam Julie, a oedd yn nyrs. Bu farw ei dad yn 51 oed yn yr un flwyddyn. Dywedodd cyfaill Mathew wrth y *Daily Post*, "Roedd ei rieni wedi gwahanu erbyn hyn, ac roedd ei dad yn byw ym Methesda. Roedd o'n edmygu ei dad ac mi gafodd Mathew ysgytiad yn sgil ei farwolaeth. Mi ddywedwn i ei fod o braidd yn od cyn hyn, ond mi ddaru marwolaeth ei dad wneud iddo ymddwyn yn rhyfedd. Dwi'n meddwl bod ei ddiddordeb mewn marwolaeth, y tywyllwch ac yn y blaen, wedi cychwyn yn fuan wedyn."

Mynychodd Mathew Ysgol David Hughes, Porthaethwy. Roedd o'n hogyn tawel, yn mwynhau celf a chrefft. Doedd o ddim yn ddisgybl trafferthus – byddai'n bihafio yn y dosbarth, meddai un athro, ac roedd synnwyr digrifwch yn perthyn iddo. Roedd ganddo rownd bapur newydd. Byddai'n dosbarthu dros dri chant o bapurau newydd bob nos Fercher, ac yn cael £10 yr wythnos. Un o'i gwsmeriaid oedd Mabel Leyshon. Roedd y wraig weddw'n byw ychydig funudau o gartref Mathew. Bu'n rhaid i gwsmer arall, sef Gwynfor Parry, cynghorydd cymuned, sgwrsio efo'r llanc papur newydd unwaith. Awgrymodd Mr Parry y dylai Mathew adael eu papurau newydd nhw wrth y giât yn hytrach nag yn y blwch llythyrau, rhag i'r ci gael gafael arnynt. "Roedd o'n ymddangos yn llanc cwrtais dros ben," meddai Mr Parry wrth y *Daily Post*.

Rhoddodd Mathew'r gorau i'r rownd bapur newydd

pan adawodd o'r ysgol yn 16 oed. Yna aeth i Goleg Menai, Bangor, i astudio celf a chrefft a chafodd swydd dros dro fel porthor yng Ngwesty Carreg Brân, Llanfairpwll. Byddai'n gwario'i gyflog ar ganabis ac yn smygu'r cyffur gyda chyfaill o'r enw David Lam, llanc yr oedd Mathew wedi ei gyfarfod pan oedd y ddau yn yr ysgol ym Mhorthaethwy.

Roedd Mathew yn artist dawnus, yn ôl ei gyfeillion. Ond roedd agwedd sinistr iawn i'w luniau. Dywedodd un bachgen oedd yn mynychu dosbarth Technoleg gyda Mathew yn Ysgol David Hughes ei fod o'n arlunydd da. "Ond roedd ei luniau'n frwnt ac annymunol," meddai'r bachgen. "Mi fydda fo'n tynnu lluniau o gyllyll, gynnau, dagerau a *machetes*."

Mae llun a roddodd fel anrheg i'w gariad yn darlunio tân anferthol yn dinistrio'r bydysawd.

Wrth gwrs, nid yw diddordeb yn yr elfennau tywyll yn anarferol ymysg plant a phobol ifanc. Beth am Harry Potter neu Darren Shan? Meddyliwch am lwyddiant ffilmiau fel *The Texas Chainsaw Massacre, Hostel, Saw* a chant a mil o lyfrau a ffilmiau eraill sydd wedi eu marchnata tuag at gynulleidfa sy'n pontio amrediad oed o ddeg hyd at ddeg ar hugain. Tydi'r ffaith fod rhywun yn portreadu'r apocalyps ac yn darlunio delweddau o ladd a dioddef ddim yn golygu'i fod yn llawn drygioni ac yn debygol o droseddu yn y modd mwyaf ffiaidd. Mae sawl ffactor yn gallu dylanwadu ar feddwl ifanc, a gwyrdroi'r meddwl hwnnw.

Ond beth sy'n gwneud i rywun ddatblygu'r awydd i ladd? Roedd hwnnw'n gwestiwn a fyddai'n cael ei ofyn droeon dros y misoedd dilynol. A pha mor rhyfedd bynnag oedd ymddygiad Mathew, yn enwedig ar ôl i'w dad farw, roedd yn ddigon poblogaidd ymysg ei gyfoedion yn Llanfairpwll.

"Roeddwn i yn yr un flwyddyn ag o yn yr ysgol," meddai un. "Byddwn i'n sgwrsio efo fo yn yr ysgol pan fyddwn i'n ei weld o. Roedd o'n dawel, dyna i gyd. Doedd ganddo fo byth fawr i'w ddeud."

Dywedodd un arall, "Roeddwn i'n cael gwersi efo fo – astudiaethau'r amgylchedd. Roedd o'n iawn. Roedd o'n dawel dros ben. Doedd o ddim yn geg fawr. Roedd pawb yn tynnu 'mlaen efo fo. Doedd o ddim yn dreisgar, a fyddai o byth yn ymladd. Roedd o'n eitha tenau a thal."

Roedd o hefyd yn gryf, yn ôl cyd-ddisgyblion. Byddai'n codi pwysau ac yn mwynhau ymarfer corff.

"Roedd o'n hoff iawn o chwarae rygbi," meddai llanc 15 oed wrth y *Daily Post,* "ond doedd o ddim fel tasa fo'n deall y rheolau i gyd."

Ac yn ôl cyfaill arall, doedd Mathew ddim yn wahanol – roedd o'n ŵr ifanc call a rhesymol na fyddai'n codi ofn ar neb.

Ond roedd rhai o'r criw lleol wedi sylwi bod defnydd Mathew o ganabis yn sylweddol. Ac roedd nifer yn ymwybodol o'i ymosodiad ar y fyfyrwraig Almaenig.

Dywedodd un llygad-dyst dienw fod Mathew yn "uffern o gelwyddgi" oedd yn gorliwio'i orchestion; er enghraifft, faint roedd o wedi yfed. Ond eto, bachgen tawel, yn byw yn ei gragen, oedd Mathew Hardman.

* * *

Mae'r heddlu'n gorfod pori trwy dorreth o wybodaeth yn ystod ymchwiliad i lofruddiaeth. Rhaid edrych ar bob darn o dystiolaeth a chymryd pob galwad o ddifri. Canolbwyntiodd yr heddlu ar "y fan las" am wythnosau, sef y cerbyd a welwyd y tu allan i gartref Mrs Leyshon rai dyddiau cyn y llofruddiaeth. Y fan honno oedd craidd yr ymchwiliad a threuliasant gryn amser yn ceisio dod o hyd i'r fan. Wrth gwrs, rydyn ni'n gwybod erbyn hyn mai camarweiniol oedd yr wybodaeth ynglŷn â'r fan. Pwy bynnag oedd y gyrrwr, a'r teithiwr, ni ddaethpwyd o hyd i'r naill na'r llall. Ond nid nhw oedd yn gyfrifol am ladd Mabel Leyshon. Ni ddaethpwyd o hyd i'r fan las, chwaith. Mae'n ddigon posib, wrth gwrs, mai wedi drysu oedd y llygad-dystion a hysbysodd yr heddlu ynglŷn â'r fan. Ond mae'n rhaid i'r heddlu gymryd pob dim o ddifri; mae'n hanfodol eu bod nhw'n fanwl, yn hollti blew os oes rhaid, wrth geisio datrys trosedd.

Wrth i'r wythnosau fynd heibio, daeth mwy o fanylion ynglŷn â'r drosedd i ddwylo'r ditectifs. Drwy astudio'r man lle cyflawnwyd y drosedd, dechreuodd ffocws yr ymchwiliad symud oddi wrth y fan las.

Dechreuodd yr heddlu lunio proffil o'r llofrudd: unigolyn oedd heb ddod i sylw'r heddlu o'r blaen; rhywun oedd heb fod mewn trafferth, efallai; rhywun oedd yn byw yn ei gragen. Roedd hi'n amlwg i'r ditectifs nad lladrad a aethai o chwith oedd y drosedd yr oeddynt yn ymchwilio iddi. Doedd dim ymdrech i ddwyn; doedd dim eiddo ar goll o'r tŷ ac awgrymai natur greulon y drosedd mai rhywun lleol oedd yn gyfrifol, rhywun oedd yn adnabod Mrs Leyshon. Ar ôl iddynt dderbyn yr alwad ynglŷn â'r ymosodiad "fampiraidd" yn Llanfairpwll rhyw ddeufis cyn y llofruddiaeth, daeth hynny'n ffocws i'r ymchwiliad. Dros y Nadolig casglodd yr heddlu wybodaeth ynglŷn â'r digwyddiad.

Ar ddydd Sadwrn, 5 Ionawr 2002, fe ymwelodd ditectifs â chartref Mathew Hardman yn Llanfairpwll.

* * *

Roedd yr heddlu wedi holi Mathew Hardman yn fuan ar ôl llofruddiaeth Mrs Leyshon. Roedden nhw wedi galw draw i'w gartref yn fuan wedi darganfod corff yr hen wraig. Doedd Mathew ddim yn cael ei ddrwgdybio ar y pryd: dim ond ymholiadau cyffredinol oedd y rhain. Bu'r heddlu o gwmpas Llanfairpwll yn gwneud ymholiadau tebyg yn y dyddiau'n dilyn y drosedd. PC

Griffith Owen Thomas o Langefni a holodd y llanc, tra bod cyd-weithiwr iddo yn sgwrsio gyda chymar mam Mathew. Eisteddodd PC Thomas ar gadair yn stafell Mathew, tra bod y llanc yn eistedd ar ei wely. Dim ond cwestiynau cyffredinol oeddynt; hel manylion, dyna'r cwbl. Llenwodd PC Thomas y ffurflen holi wrth i Mathew ateb y cwestiynau.

Dywedodd Mathew nad oedd o wedi gweld Mrs Leyshon dros y cyfnod y cafodd ei llofruddio. Doedd o ddim yn adnabod y weddw nac erioed wedi bod yn ei chartref, meddai wrth PC Thomas. Dywedodd ei fod gyda ffrind ar y dydd Sadwrn y bu farw Mrs Leyshon. Doedd dim byd i awgrymu fod gan Mathew Hardman rywbeth i'w guddio; dim i awgrymu ei fod wedi cyflawni trosedd ddychrynllyd ddyddiau'n gynharach.

* * *

Nid arestiwyd Mathew ar 5 Ionawr, ond aethpwyd â phâr o esgidiau Levi o'i gartref. Roedd y tîm fforensig a oedd wedi mynd trwy Ger y Tŵr gyda chrib mân yn y dyddiau wedi llofruddiaeth Mrs Leyshon wedi dod o hyd i hoel esgid Levi. Roedden nhw'n esgidiau digon anghyffredin: dim ond pedair cadwyn o siopau trwy Brydain oedd yn eu gwerthu. Un o'r rheini oedd Burtons, ac roedd siop o'r fath ym Mangor. Dim ond 22 pâr o'r esgidiau roedd y siop ym Mangor wedi'u gwerthu. Prynodd Mathew bâr yno ychydig fisoedd ynghynt.

* * *

Am 8 a.m. ar 8 Ionawr, dychwelodd ditectifs i gartref Mathew Hardman ac fe'i harestiwyd. Fe aethpwyd ag o i orsaf heddlu Caernarfon.

Archwiliodd yr heddlu stafell Mathew. Daethpwyd o hyd i gyllell ac iddi lafn 12cm o hyd ym mhoced ei gôt. Deallwyd fod ganddo ddiddordeb mewn fampirod. Astudiodd yr heddlu ei ddarluniau macâbr, gan gynnwys un oedd yn dangos unigolyn yn ei anafu ei hun â chyllell nes bod gwaed yn tywallt o'r anafiadau.

Holwyd Mathew gan y Ditectif Sarjant Iestyn Davies a'r Ditectif Gwnstabl Dewi Harding Jones. Roedd cyfreithiwr Mathew, Michael Strain, a gweithiwr cymdeithasol o Gyngor Sir Ynys Môn yn bresennol hefyd. Gofynnwyd iddo ynglŷn â'r Sadwrn hwnnw y bu farw Mrs Leyshon. Dywedodd Mathew y byddai, fel arfer, yn deffro tua hanner dydd neu un o'r gloch y prynhawn ar ddydd Sadwrn. "Ac wedyn mi fydda i'n cael fy mrecwast a chawod – y pethau arferol," meddai. "Mi fydda i'n gwneud gwaith tŷ ac mi fydd hi tua tri o'r gloch erbyn hynny. Wedyn mi fydda i'n gwylio rhywfaint o deledu a gwneud rhywbeth tan chwech o'r gloch. Cyn chwech o'r gloch mi fydda i'n cael cawod arall a mynd i dŷ fy ffrind."

Honnodd iddo gerdded i gartref David Lam tua 6 p.m. ac aros yno tan 10 p.m.

Beth oedd y ddau wedi ei wneud y noson honno?

"Dwi'm yn gwybod. Dim ond siarad ac efallai gwylio teledu a ballu. Mi fydden ni wedi eistedd i lawr efo paned o de a gwylio'r teledu – dyna be fydden ni wedi'i wneud."

* * *

Mae gan yr heddlu hawl i gadw rhywun yn y ddalfa am 24 awr. Bu'n rhaid i uwch-arolygydd o Gaernarfon awdurdodi 12 awr ychwanegol pan ddaeth yr amser hwnnw i ben. A nos Fercher, fe aethpwyd â Mathew i Lys Ieuenctid Caergybi a chaniatawyd i'r heddlu ei gadw yn y ddalfa am 24 awr arall.

Erbyn hyn roedd canlyniadau fforensig yn cael eu datgelu, ac roedd y rhain yn cryfhau achos yr heddlu. Roedd y DNA a ddarganfuwyd yng Nger y Tŵr yn cyfateb i DNA Mathew Hardman. Dywedodd y ditectifs wrtho fod y DNA dieithr a ddarganfuwyd yn sampl o waed Mabel Leyshon yn cyd-fynd â'i broffil o. Gofynnodd DS Davies beth oedd gan Mathew i'w ddweud. Atebodd y llanc, "Dim byd."

Sut oedd o'n gallu esbonio'r ffaith fod y sampl yn cyd-fynd â'i sampl o, felly?

"Does gen i ddim ateb. Fedra i ddim esbonio hynny," meddai Mathew.

Ar 10 Ionawr 2002, cyhuddwyd Mathew Hardman o lofruddio Mabel Leyshon yn ei chartref ar 25 Tachwedd 2001. Gofynnodd y ditectifs a oedd Mathew eisiau rhywbeth.

"Big Mac, sglodion ac ysgytlaeth," meddai.

Ni chyffrowyd Mathew gan yr helynt. Wrth gael ei dywys i'w gell ar ôl derbyn ei fwyd, cynigiodd rai o'i sglodion i'r heddweision.

Fe'i holwyd 16 o weithiau am 11 awr i gyd – 167 o dudalennau o gyfweliadau. Ond drwy hyn i gyd roedd o'n ddigyffro, meddai'r DS Davies, fel petai nad oedd ganddo boen yn y byd. Ni wnaeth Mathew grio unwaith yn ystod yr holi, meddai'r ditectif. Cadwodd ei ben drwy gydol ei achos llys hefyd. Treuliodd ddiwrnod a hanner yn cael ei groesholi yn Llys y Goron, Yr Wyddgrug. Byddai'n eistedd yn aml â'i ddwylo ar ei ben-glin, yn siglo'n ôl ac ymlaen. Byddai'n anadlu'n ddwfn cyn ateb cwestiwn.

Gwadodd iddo ladd Mabel Leyshon. Ond roedd y dystiolaeth fforensig yn ei hoelio. Datgelwyd ei fod wedi dweud celwydd wrth yr heddlu ynglŷn â'i berthynas gyda Mrs Leyshon. Honnodd Mathew iddo roi'r gorau i ddosbarthu papur newydd i Mrs Leyshon flynyddoedd ynghynt; y gwir amdani oedd mai dim ond rhyw flwyddyn cyn marw'r hen wraig y gwnaeth hynny. Roedd o wedi dweud anwiredd ynglŷn ag ymweld â'i gyfaill, David Lam, ar 25 Tachwedd hefyd. Gwadodd

David fod Mathew wedi bod yn ei gartref o gwbl ar y diwrnod y llofruddiwyd Mrs Leyshon.

Wedi achos llys a barhaodd am dair wythnos, ac ar ôl i'r rheithgor ystyried y rheithfarn am bron i bedair awr, cafwyd Mathew Hardman yn euog ar 1 Awst 2002. Wylodd y llanc y pryd hwnnw ac fe sgrechiodd ei fam, Julie. Wrth i'w mab gael ei dywys i'r celloedd, ymestynnodd tuag ato. Edrychodd i fyny ar ei fam a dywedodd hi, "Dwi'n dy garu di," wrth ei mab.

Dedfrydwyd Mathew Hardman, gan y barnwr, Meistr Ustus Richards, i dreulio o leiaf 12 mlynedd yn y carchar. "Mae natur y llofruddiaeth arswydus hon yn glir i bawb," meddai'r barnwr. "Roedd yn ymosodiad creulon, estynedig ar hen wraig yn ei chartref ei hun."

A'r hyn oedd yn gwneud y sefyllfa'n waeth, meddai'r Meistr Ustus Richards, oedd y modd y gwnaeth y llofrudd anffurfio corff Mrs Leyshon. Roedd hi'n anodd amgyffred pam y byddai gŵr ifanc a ymddangosai mor hawddgar, ac iddo enw da, yn ymddwyn fel hyn, meddai. Ond roedd y dystiolaeth yn awgrymu bod fampiraeth yn obsesiwn bron gan Mathew Hardman, meddai'r barnwr, ac roedd o'n wirioneddol gredu yn y fytholeg. "Ac roeddech chi'n credu y gallech chi, mewn rhyw ffordd, wireddu anfarwoldeb drwy yfed gwaed unigolyn arall, ac roedd hyn yn atyniad anorchfygol." Ychwanegodd Meistr Ustus Richards, "Mae rhywun yn gobeithio cael esboniad seiciatrig dros eich ymddygiad," ond doedd dim salwch na dryswch meddwl yn effeithio ar Mathew Hardman, meddai. Roedd ganddo anghenion addysgol arbennig, ond nid oedd y rhain yn esbonio'i weithred anllad. Ar wahân i'r anghenion hyn, roedd o'n ŵr ifanc digon deallus, meddai'r barnwr.

"Roeddech chi'n gobeithio gwireddu anfarwoldeb. Yr unig beth y gwnaethoch chi wireddu oedd diweddu bywyd rhywun arall mewn modd creulon, a sicrhau dedfryd oes i chi'ch hunan," meddai Meistr Ustus Richards.

* * *

Sut y crëwyd y bwystfil yn Mathew Hardman? O ble daeth y drygioni? Beth oedd wedi tanio'r obsesiwn gyda fampirod? Fel y dywedodd y barnwr, roedd Mathew wedi mopio'i ben â fampirod ac roedd wedi dod i gredu y gallai yntau fod yn fampir, a byw am byth, dim ond iddo yfed gwaed dynol. Unwaith eto rhaid ategu bod nifer o unigolion yn credu hyn – er mor hurt yw'r syniad, er mor wyrdroëdig i'r mwyafrif o bobl. Ond nid yw'r unigolion hyn, fel arfer, yn mynd ati i lofruddio pensiynwyr a rhwygo'u calon o'u brest. Mae'r heddlu o'r farn nad oedd gan farwolaeth tad Mathew ddim i'w wneud â llofruddiaeth Mrs Leyshon. Dywedodd DS Iestyn Davies wrth y *Daily Post*, "Bu farw Mr Hardman pan oedd Mathew yn 13 oed. Mae hyn yn ddigwyddiad trawmatig i unrhyw fachgen ifanc, ac mae'n amlwg ei fod yn colli ei dad ond doedd dim byd i awgrymu yn ystod ein cyfweliadau gydag o mai hyn oedd wrth wraidd y drosedd."

Ond mae arbenigwyr yn credu y gall colli rhiant achosi cryn wewyr. Esboniodd y seicolegydd clinigol, Alison Kirkpatrick, wrth y *Daily Post* fod galar o'r fath yn gallu achosi newid mewn ymddygiad. Credai Mrs Kirkpatrick nad obsesiwn oedd gan Mathew Hardman, ond rhyw gamargraff ei fod eisiau bod yn fampir. Datgelodd y seiciatrydd, Dr Dafydd Alun Jones, fod Mathew Hardman wedi arddangos arwyddion tebyg i ymddygiad Harold Shipman, llofrudd cyfres gwaethaf Prydain. Meddai wrth y *Daily Post*, "Mae'n ymddangos nad oes esboniad i lofruddiaeth yr hen wraig hon (Mabel Leyshon) ac mae hynny'n rhoi'r digwyddiad ar yr un lefel â Shipman, gan nad oes neb yn gwybod pam y llofruddiodd cymaint o bobol, y mwyafrif ohonynt yn henoed."

Fel yn achos Shipman, y gwir yw mai dim ond Mathew Hardman all esbonio pam y llofruddiodd Mabel Leyshon. Mae Shipman, wrth gwrs, wedi cyflawni hunanladdiad ac mae'n debyg na chaiff y rhesymau y tu ôl i'w droseddau erchyll fyth gael eu datgelu. Mae Mathew Hardman yn fyw o hyd. A fydd o'n ddigon o ddyn i ddatgelu, rhyw ddydd, pam y llofruddiodd Mabel Leyshon yn y modd mwyaf ffiaidd? Ar hyn o bryd, mae'n dal i wadu mai fo oedd yn gyfrifol. Mae ei fam yn bendant bod ei mab yn ddieuog. Gwyn y gwêl y frân ei chyw, wrth gwrs, a rhaid cofio bod hyn yn drasiedi iddi hithau a gweddill ei theulu hefyd. Nid Mrs Hardman sydd ar fai.

Mewn cyfweliad gyda'r newyddiadurwr Derek Bellis, a gyhoeddwyd yn y *Daily Post* fis Hydref 2002 – adeg pen-blwydd Mathew yn 18 oed – dywedodd Mrs Hardman fod ei mab yn ddieuog:

"O'r cychwyn cyntaf mi ddywedodd o (Mathew) nad fo oedd wedi gwneud hyn ac ni ddywedodd o'n wahanol byth ers hynny. Ac rydw i'n ei gredu o. Rydw i wedi bod yn bendant erioed nad fo oedd yn gyfrifol. Yn ystod yr achos llys roeddwn i'n flin eu bod nhw'n portreadu fy mhlentyn i fel bwystfil oedd wedi cynllwynio a chyflawni'r weithred greulon hon."

Flwyddyn ar ôl i'r *Daily Post* gyhoeddi'r cyfweliad gyda Mrs Hardman, fe ddaeth cais gan ei mab i apelio yn erbyn ei gyhuddiad o flaen yr Uchel Lys yn Llundain. Fe wrthodwyd y cais gan yr Arglwydd Ustus Mantell, Meistr Ustus Butterfield a Meistres Ustus Cox.

Fe adawodd Mrs Hardman y llys dan grio.

* * *

Wedi'r holl arswyd a chyffro oedd yn gysylltiedig â'r achos, roedd pawb fel petaen nhw wedi anghofio am Patricia Thomason. Fe'i darganfuwyd hi'n farw mewn mynwent yng Nghemaes yn Rhagfyr 2001, prin bythefnos wedi llofruddiaeth Mabel Leyshon. Ar y pryd, roedd rhai'n gofyn ai hi oedd ail ysglyfaeth llofrudd dieflig oedd yn llechu yn Sir Fôn. Bron i flwyddyn wedi ei marwolaeth fe gynhaliwyd cwest i farwolaeth Patricia Thomason. Rhewi i farwolaeth ar ôl syrthio a thorri ei ffêr wnaeth hi.

* * *

Claddwyd Mabel Leyshon ym mynwent Eglwys Sant Caffo, Llangaffo, Sir Fôn. Y tristwch yw y bydd ei henw'n gysylltiedig am byth ag enw Mathew Hardman. Fel hwnnw, roedd Mrs Leyshon hefyd yn artist talentog. Roedd tirluniau a lluniau o'i chi anwes yn addurno'r pared yn ei chartref – darluniau oedd yn dangos natur dyner Mabel Leyshon. Roedd darluniau Mathew Hardman yn arddangos natur cwbl wahanol – natur dywyll, fygythiol a chreulon. Ond yn hytrach nag ymdrin â'r tywyllwch hwnnw trwy ei waith celf, fel y gwnaeth artistiaid erioed, fe ddewisodd y llanc o Fôn gamu i'r fagddu. A does neb hyd heddiw'n sicr o'r drychiolaethau a ddaeth ar eu traws yno, drychiolaethau a'i ysgogodd i rwygo calon pensiynwraig o'i brest ac yfed ei gwaed.

* * *

Bedwar mis ar ôl i'r 'fampir' Mathew Hardman gael ei garcharu, fe gafwyd 'fampir' arall yn euog o lofruddio.

Lladdodd Allan Menzies o Fauldhouse, Gorllewin Lothian, Yr Alban, Thomas McKendrick ar 11 Rhagfyr 2002. Ymosododd ar Mr McKendrick gyda chyllyll a morthwyl. Honnodd Menzies iddo yfed gwaed a bwyta cnawd ei ysglyfaeth ar ôl ei ladd. Dywedodd y llofrudd mai cymeriad o'r ffilm *Queen of the Damned* a oedd wedi ei annog i ladd. Roedd wedi gwylio'r ffilm dros gant o weithiau. Roedd cymeriad yn y ffilm wedi dweud y byddai'n sicrhau anfarwoldeb ac yn dod yn fampir, ond iddo gyflawni llofruddiaeth. Casgliad archwiliad tri seicolegydd oedd fod Menzies yn seicopath. Roedd o'n dioddef o anhwylder personoliaeth difrifol. Carcharwyd o am oes.

ACHOS 2: EMYR DDRWG

Y GWEINIDOG GWYRDDROEDIG

SAIF Eglwys Ynyscynhaearn mewn man unig rhwng Morfa Bychan a Phentrefelin yn yr hen Sir Eifionydd. Mae sylfaen yr eglwys yno ers y chweched ganrif. Adeiladwyd hi gan Esgob Llandaf. Mae trigolion y plwyf wedi bod yn claddu eu meirw yn y fynwent ers dros dair canrif. Yno mae bedd David Owen – y telynor a chyfansoddwr 'Dafydd y Garreg Wen'. Llwybr cul sy'n arwain o Forfa Bychan, heibio i Ynyscynhaearn, ac yna i Bentrefelin. Hawdd byddai mynd a dod liw nos heb i neb weld na chlywed dim. Gellid cropian o gwmpas yn y tywyllwch heb ddim ond golau sêr a lleuad yn dangos y ffordd.

Dyna'n union a wnaeth rhywun ar noson dawel yn 1981.

Y bore canlynol, darganfuwyd fod drws haearn beddrod ym mynwent Ynyscynhaearn yn gilagored. Doedd dim rheswm i neb geisio agor y drws drwy rym. Roedd y beddrod tua 200 mlwydd oed. Pwy fyddai'n gwneud y ffasiwn beth? Beth oedd mewn beddrod hynafol a fyddai o ddiddordeb i ladron?

Doedd neb yn barod iawn i fentro i'r beddrod. Cysylltwyd â'r heddlu ym Mhorthmadog, yr orsaf leol. Ffoniodd heddlu Porthmadog yr orsaf ym Mhwllheli ac fe anfonwyd dau dditectif oddi yno i chwilio am dystiolaeth yn Ynyscynhaearn.

Cerddodd Gwyn Roberts a Roy Gregson i lawr y grisiau cerrig a oedd yn arwain at ddrws y beddrod. Rhoddodd y ddau hergwd i'r drws haearn a gwichiodd ar agor. Mentrodd y ddau dditectif i dywyllwch y beddrod a sylwi ar silffoedd llechi – dwy ar y naill ochr i'r drws. Gorweddai eirch derw ar y silffoedd. Roedd clawr yr arch oedd yn gorffwys ar y silff uchaf ar y dde wedi ei agor. Roedd ochrau derw'r arch wedi pydru i raddau helaeth.

Roedd gweddillion gwraig ynddo, ac yn gorwedd ar ei bron roedd sgerbwd plentyn. Credai Gwyn Roberts mai gwraig wedi marw wrth roi genedigaeth oedd hi. Craffodd y ddau dditectif ar y cynnwys trist. Dyma nhw'n sylweddoli wedyn fod penglog y plentyn wedi ei thynnu o'r arch. Roedd y benglog fach yn gorffwys ar y silff lechi. Roedd yno hefyd ôl gwêr cannwyll borffor ar y silff.

Rhoddwyd penglog y bychan yn ôl yn yr arch, ac aeth Gwyn a Roy oddi yno. Aethant i'r eglwys ac ar yr allor, darganfu'r ddau, unwaith eto, ôl gwêr cannwyll –

cannwyll borffor. Credai Gwyn Roberts mai olion rhyw ddefod ysgeler oedd ar yr allor ac yn y beddrod. Mae o'n bendant ei farn fod rhywbeth sinistr wedi digwydd yn Eglwys Ynyscynhaearn y noson honno.

Bu ymholiadau pellach. Ceisiwyd dod o hyd i lygaid-dystion oedd wedi cerdded y llwybr cefn gwlad o Bentrefelin i Forfa Bychan. Ond ni chanfuwyd neb. Doedd neb wedi gweld yr un dim, na neb wedi clywed dim.

* * *

Dair blynedd yn ddiweddarach, daeth y Ditectif Gwnstabl Gwyn Roberts ar draws trosedd anghyffredin arall. Lladdwyd defaid ar dir ffermydd yn Abertrinant, ger Tywyn, yn yr hen Sir Feirionnydd. Ymosodwyd ar y defaid dan gysgod nos. Roedd brathiadau brwnt ar garcasau'r defaid ac fe dynnwyd cnawd oddi ar y cyrff. Ond mae'n debyg nad ci oedd yn gyfrifol am yr anafiadau.

Felly, yn ystod Awst a Medi 1984, treuliodd plismyn lleol oriau yn cadw llygad ar ardaloedd gwledig Abertrinant – ond er presenoldeb yr heddlu, fe fu ymosodiadau pellach. Pwy, neu beth, oedd yn lladd defaid Sir Feirionnydd?

Ni ddatryswyd y dirgelwch hwn, chwaith. Fe stopiodd y lladd, a hyd heddiw does neb yn gwybod pwy na beth oedd yn gyfrifol. Prin oedd y manylion a ryddhawyd i'r cyhoedd – ond roedd y gymuned leol yn gwybod am yr ymosodiadau, ac, wrth gwrs, roedd gan bawb farn ynglŷn â phwy oedd yn gyfrifol.

* * *

Ar 30 Medi 1984 – ychydig wythnosau ar ôl i'r ymosodiadau ar y defaid ddod i ben – derbyniodd gŵr o Fachynlleth lythyr dienw. Roedd y cynnwys yn ffiaidd ac yn cyfeirio at gyfoeth a chysylltiadau honedig y dyn a dderbyniodd y llythyr. Ddiwrnod yn ddiweddarach, derbyniodd unigolyn arall yn yr un ardal lythyr tebyg. Aeth wythnosau heibio. Ymchwiliodd yr heddlu lleol i ffynhonnell y llythyrau ond heb fawr o lwc.

Yna, ar 21 Tachwedd, derbyniodd gwraig yn ardal Tywyn lythyr dienw. Bygythiodd yr awdur ei fod am ladd ŵyr y wraig. Roedd yr ysgrifennwr, heb amheuaeth, wedi mynd yn rhy bell y tro hwn. "Dywedwch wrth eich merch-yng-nghyfraith am gadw llygad ar y bastad bach ffiaidd yna sydd yn ei thŷ," meddai'r llythyrwr dienw.

Ac mewn llythyr arall, daeth y rhybudd eithaf: "Bydd rhywun yn setlo sgôr efo chi, hyd yn oed os bydd hynny'n golygu cael gafael ar eich plant. Mi gawn ni ddial ac mi gawn ni chi a'ch plant, credwch fi."

Danfonwyd llythyr tebyg ar 22 Tachwedd, ond fe'i hataliwyd gan y Swyddfa Bost a'i gyflwyno i'r heddlu. Ond ar yr un diwrnod fe ddanfonwyd llythyr i orsaf heddlu Tywyn. Roedd yr awdur yn pryfocio'r heddlu, yn tynnu coes, ac yn cyhuddo tirfeddiannwr lleol a oedd yn aelod o'r Seiri Rhyddion o ladd y defaid. Cyhuddodd yr awdur heddlu Tywyn hefyd o guddio'r gwirionedd. Danfonwyd llythyr tebyg at sawl unigolyn, gan gynnwys Prif Gwnstabl Gogledd Cymru ym Mae Colwyn.

*   *   *

Hyd hynny, ni fu fawr o gydweithio rhwng y gorsafoedd heddlu unigol: roedden nhw i gyd yn ymchwilio i'r llythyrau a ddanfonwyd yn eu hardaloedd penodol – Machynlleth, Tywyn – a phawb yn mynd o gwmpas eu pethau heb drafod unrhyw ddatblygiadau.

Roedd Gwyn Roberts, erbyn hynny, yn Dditectif Gwnstabl yn Nolgellau. Roedd wedi bod yn blismon am 21 mlynedd, 15 o'r rheini yn y CID. Roedd yn blismon profiadol, yn ddi-ildio, ac yn benderfynol – roedd ganddo enw da fel ditectif craff a deallus. Gorchmynnodd uwch swyddog yng ngorsaf Dolgellau i Gwyn Roberts fwrw golwg ar y llythyrau, a cheisio gwneud rhyw synnwyr o'r dirgelwch. Wrth gwrs, roedd yma sefyllfa ddifrifol – yn enwedig ar ôl i awdur dienw'r llythyrau fygwth lladd plentyn.

*   *   *

Fe aeth DC Roberts ati i fynd drwy'r llythyrau â chrib mân. Roedd o am gymharu'r ysgrifen yn y llythyrau ag ysgrifen cynifer o bobol â phosib. Sylwodd fod yr awdur dienw'n defnyddio llythyren 'T' gwahanol i'r arfer wrth sgwennu; roedd y dull yn debyg i lawysgrifen rhywun oedd wedi cael addysg yn y tridegau neu'r pedwardegau – dull digon hen ffasiwn. Cafodd y ditectif afael ar 3,000 sampl o lawysgrifen o'r ardal leol i'w cymharu â'r llythyrau. Nid tasg hawdd oedd hynny – defnyddiodd ei reddf a'i synnwyr cyffredin. Roedd o'n barod i ddefnyddio pob dull posib, os oedd rhaid. Astudiodd lawysgrifen ar docynnau raffl, hyd yn oed, ac astudiodd ffurflenni a miloedd o ddogfennau.

Erbyn canol mis Rhagfyr, roedd DC Roberts wedi llunio rhestr fer o rai i'w drwgdybio: tri gŵr – dau ohonynt â chysylltiadau eglwysig. Yn ganolog i'r achos roedd y llythyren 'T'. Felly, roedd angen samplau o lawysgrifen y rhai dan sylw, a hynny heb ei gwneud hi'n amlwg ei fod yn cadw llygad arnynt.

Llwyddodd i ddileu dau o'r dynion o'i ymchwiliad, ond roedd y trydydd yn anodd ei ddal. Roedd ar DC Roberts angen cynghreiriaid yng Nghapel Presbyteraidd Bethel, Tywyn, lle gweithiai'r unigolyn roedd y ditectif yn ei amau. Aeth DC Roberts i ymweld ag aelod ifanc o gynulleidfa'r eglwys yn y gobaith o gael cymorth ganddo. Yng nghartref y dyn, sylwodd DC Roberts ar gopi o'r Testament Newydd. Y tu mewn i'r clawr roedd nodyn yn llongyfarch y dyn ifanc ar gael ei dderbyn yn aelod o gapel lleol. A dyna lle roedd y 'T' anghyffredin y sylwodd DC Roberts arni yn y llythyrau bygythiol.

Roedd y ditectif craff wedi dal y dihiryn – gweinidog Presbyteraidd uchel ei barch o'r enw Emyr Owen. Ond doedd gan DC Roberts ddim syniad beth oedd yn ei aros pan âi i arestio'r Parchedig Owen yn Ffordd Maethlon, Tywyn. Roedd cyfrinachau tywyll iawn ar fin cael eu datgelu.

* * *

Ganed Emyr Owen ym Mlaenau Ffestiniog ar 21 Awst 1922. Roedd yn unig blentyn ac fe gollodd ei dad yn ifanc. Honnai Emyr fod ei dad, Richard, wedi ymfudo i Awstralia, ac iddo farw yno mewn tân. Nid oes tystiolaeth ar gael i brofi nac i wrthbrofi'r honiad.

Mynychodd ysgolion lleol, gan gynnwys Ysgol Gynradd Maenofferen. Roedd yn hogyn bach digon babïaidd yn ôl ei gyfoedion, ac nid yn un i gymysgu – ni fu erioed yn rhan o'r criw. Doedd o ddim yn arbennig o alluog nac yn gyfathrebwr da – dawn oedd yn ofynnol i lanc oedd â'i fryd ar y weinidogaeth. Gadawodd Emyr yr ysgol yn 14 oed a mynd i weithio i Chwarel Oakley. Roedd hynny'n llwybr digon cyffredin i fechgyn Blaenau Ffestiniog: gadael yr ysgol ar y cyfle cyntaf ac yna mynd i weithio'r llechi. Ond ni fu'r pum mlynedd y treuliodd Emyr yn y chwarel yn rhai hapus. Roedd ei gyd-weithwyr yn ei bryfocio ac yn tynnu'i goes. Un diwrnod, o ran hwyl, tynnodd criw o chwarelwyr drowsus Emyr i lawr. Flynyddoedd yn ddiweddarach, cyfaddefodd i'r digwyddiad hwn effeithio'n arw arno. Profiad cythryblus, llawn embaras, mae'n siŵr, i lanc swil, babïaidd, ansicr fel Emyr Owen.

Yn 1941, ac yntau'n 19 oed, dechreuodd astudio yng Ngholeg Clwyd, Y Rhyl, ac yna treuliodd gyfnod yn y coleg yn Aberystwyth cyn cael ei ordeinio'n weinidog gyda'r Eglwys Bresbyteraidd yn Llangybi, Ceredigion, yn 1952. Roedd aelodau o'i deulu'n falch ohono. Trefnwyd bws o Flaenau Ffestiniog ac fe deithiodd aelodau o'i deulu a chyfeillion iddo yr holl ffordd i Langybi i weld Emyr yn cael ei ordeinio.

Roedd Emyr, erbyn hyn, yn ymwybodol fod ei reddf yn ei ddenu at ddynion. Roedd bod yn wrywgydiwr yn y cyfnod hwn yn warth. Roedd y weithred yn anghyfreithlon, ac nid oedd cymdeithas mor oddefgar ag y mae hi heddiw. Wrth ysgrifennu'r bennod hon, mae dyn yn sylwi bod y Llywodraeth am gyflwyno deddf a fyddai'n gwneud codi atgasedd tuag at wrywgydwyr yn anghyfreithlon, yn yr un modd ag y mae codi atgasedd hiliol yn drosedd. Dyna newid byd ers y pumdegau, ers y dyddiau hynny pan oedd cymdeithas yn gorfodi dynion fel Emyr Owen i fyw celwydd.

Ddwy flynedd ar ôl ei ordeinio, cafodd y gweinidog ifanc ofal capel yn Coventry a threuliodd ymron i ugain mlynedd yn y ddinas honno. Ond methodd â gwadu ei awydd cnawdol, oherwydd fe gafodd wŷs i ymddangos gerbron Llys Ynadon Birmingham. Derbyniodd ddirwy o £5 am hudo rhywun i bwrpas anfoesol. Er y cyhuddiad yn ei erbyn, cafodd Emyr Owen ei alw, yn 1965, i fod yn weinidog ar un o eglwysi enwocaf y Cymry ar wasgar.

* * *

Roedd Eglwys Bresbyteraidd Princes Road, Lerpwl, yn cael ei chydnabod fel Cadeirlan yr Hen Gorff. Mae gan Gymry Lerpwl hanes anrhydeddus. O'u mysg y daeth unigolion dawnus fel y dramodydd a sefydlydd Plaid Cymru, Saunders Lewis; y bardd a'r ysgolhaig John Glyn Davies, a'i frawd, George M Ll Davies; ac Eurys Mary Lloyd Edwards, gwraig sylfaenydd yr Urdd, Syr Ifan ab Owen Edwards. Cyfrannodd y Cymry a lifodd i Lerpwl rhwng 1850 a dechrau'r ugeinfed ganrif gymaint i hanes y ddinas ac i ddiwylliant Cymraeg, a cynhaliwyd y traddodiad hwnnw gan y rhai a ddaeth yn sgil y mawrion cynnar hynny. Roedd Lerpwl yn cael ei hystyried gan lawer yn brifddinas Gogledd Cymru ac roedd Princes Road yn ei chanol hi, yn addoldy i sawl un o wŷr amlycaf Cymry Lerpwl, addoldy a chwaraeodd ran bwysig yn Niwygiad 1904-05. Daeth Evan Roberts, y Diwygiwr o Gasllwchwr, Morgannwg, yno ym mis Mawrth 1905. Cyn ei ymweliad, roedd eglwysi Cymraeg

Lerpwl wedi canfasio cartrefi'r ddinas gan geisio eu denu i wrando ar neges chwyldroadol Evan Roberts. Roedd mil o ganfaswyr yn mynd allan i chwilio am eneidiau coll. Dengys hyn nerth y capeli Cymraeg yn Lerpwl ar ddechrau'r ugeinfed ganrif.

Roedd Emyr Owen, felly, yn camu i sgidiau sylweddol wrth gymryd yr awenau yn un o eglwysi hanesyddol y Cymry, a bugeilio praidd a oedd yn cynnwys hoelion wyth Cymry Lerpwl. Dyma gyfrifoldeb sylweddol i lanc o Flaenau oedd heb ddangos fawr o ddoniau cyfathrebu yn ystod ei ieuenctid. Ond fe gafodd ei dderbyn gan yr addolwyr, er iddo gael ei ystyried braidd yn od. Byddai'n gwisgo fymryn yn fwy lliwgar na gweinidogion eraill, a'i sanau amryliw yn tynnu sylw'n fwy na dim arall.

Roedd tueddiadau gwrywgydiol Emyr Owen yn ddiarwybod i fwyafrif helaeth y gynulleidfa a ddeuai i wrando arno'n pregethu bob Sul. Ond roedd ambell uwch-aelod o Princes Road yn ymwybodol bod eu gweinidog yn wrywgydiwr. Yn wir, roedd rhai o arweinyddion yr eglwys yn Lerpwl yn awyddus iddo adael y 'Gadeirlan' ac yn 1972 cafodd ei symud i Feddgelert. Bu'n gwasanaethu yno tan 1976, pan ddaeth yn weinidog ar Gapel Bethel, Tywyn, a chapeli eraill yn yr ardal.

Parhaodd Emyr Owen i ymddwyn braidd yn od, ond eto roedd pawb yn hoff ohono, ac yn ei barchu. Gwyddai rhai o uwch-aelodau Capel Bethel a'r capeli eraill fod gan eu gweinidog newydd 'ffrindiau', a'r rheini'n ddynion sengl, ond dewisodd y mwyafrif anwybyddu cyfeillion a gweithgareddau Emyr Owen – cyn belled â'i fod yn gwasanaethu, roedd y ffyddlon yn fodlon. Cafodd hyd yn oed ei benodi'n gaplan i Uwch Siryf Gwynedd, Meurig Rees, yn 1982. Roedd Mr Rees yn gadeirydd ynadon Tywyn, ac yn ddiacon yng Nghapel Bethel. Eisteddodd Emyr Owen wrth ei ochr, ac wrth ochr Barnwr Uchel Lys, yn 1982 ar ôl arwain gweddi yn ystod defod ordeinio Mr Rees yn Uwch Siryf y sir.

Yn ogystal â bod yn weinidog ac yn gaplan yr Uwch Siryf, roedd Emyr Owen hefyd yn awdur. Ysgrifennodd lawlyfr o'r enw *Moduro Gwynedd* yn 1976 a enillodd wobr yn yr Eisteddfod Genedlaethol. Cyhoeddwyd y llawlyfr gan y Lolfa. Felly dyma weinidog poblogaidd ac awdur ac, ar yr wyneb, ymddangosai fod bywyd yn dda i Emyr Owen. Ond mae'n amhosib cadw pob tueddiad yn gyfrinachol, yn enwedig os yw'r tueddiadau hynny'n gyrru rhywun i gyflawni trosedd a fyddai'n brawychu'r gymuned leol, yn oeri gwaed y miloedd a ddarllenodd amdani ac a welodd raglenni dogfen amdani dros y misoedd a'r blynyddoedd i ddilyn.

* * *

Doedd dim sôn am Emyr Owen yn Nhywyn y diwrnod hwnnw yn Rhagfyr 1984, ac ni fedrai Gwyn Roberts ddod o hyd iddo heb greu cynnwrf ac amheuaeth. Felly, yn lle crwydro Tywyn yn holi pawb ym mha le roedd eu gweinidog, penderfynodd ffonio tŷ Emyr Owen, ac fe wnaeth hyn am sawl noson heb gael ateb.

Ond ar ddydd Sadwrn, 22 Rhagfyr, dyma Emyr Owen yn ateb y ffôn. Roedd Gwyn Roberts yn blismon craff. Roedd o'n gwybod bod Emyr Owen gartref ond doedd ganddo ddim bwriad datgelu mai ditectif oedd o, a'i fod eisiau sgwrs ynglŷn â mater difrifol iawn. Felly dyma'r DC Roberts yn gofyn, "Ydi Bill Jones yna?"

"Mae'n ddrwg gen i," meddai'r llais. "Rhif anghywir."

Neidiodd DC Roberts i'w gar a gyrru i orsaf heddlu Tywyn. Doedd ganddo ddim bwriad mynd i gartref Emyr Owen ar ei ben ei hun. Y peth hawsaf yn y byd fyddai i'r gweinidog wneud cwyn yn erbyn plisman ac felly roedd DC Roberts am fynd â llygad-dyst gydag o. Dywedodd wrth PC Philip Edwards, o orsaf Tywyn, am ddod gydag o i Ffordd Maethlon.

Roedd hi'n 8.55 p.m., ac agorodd Emyr Owen y drws i'r ddau. Cawsant wahoddiad i'r tŷ. Wrth sefyll yn y stafell fyw, sylwodd DC Roberts ar bentwr o amlenni ar y bwrdd. Roedd Emyr Owen yn brysur yn sgwennu cardiau Nadolig. Roedd sawl amlen wedi eu selio a chyfeiriadau wedi eu sgrifennu arnynt. Tynnwyd sylw DC Roberts gan yr ysgrifen. Sylwodd ar y 'T' – yr union 'T' a oedd yn y llythyrau dieflig oedd wedi achosi braw i nifer o bobl; yr un 'T' a oedd yn y Testament Newydd. Cyhuddodd DC Roberts y gweinidog o ddanfon y llythyrau dienw ond gwadodd Emyr Owen mai fo oedd yn gyfrifol. Roedd o'n crynu, ei bengliniau'n ysgwyd. Synhwyrodd DC Roberts nerfusrwydd y gweinidog. Dywedodd y ditectif wrth Emyr Owen nad *gofyn* ai fo sgrifennodd y llythyrau yr oedd o, ond *dweud* wrtho mai fo oedd yn gyfrifol.

"Ia," meddai. "Ia, fi sgrifennodd y llythyrau i gyd. Fedra i ddim dweud wrthych chi pam. Roeddwn i'n sâl ar y pryd."

Cyfaddefodd ei fod yn wrywgydiwr ac fe ofynnodd DC Roberts iddo a oedd ganddo gylchgronau a llenyddiaeth wrywgydiol yn y tŷ ac atebodd Emyr Owen, "Nefoedd fawr, nac oes. Dim byd o'r fath."

Yna, gofynnodd DC Roberts am hawl i archwilio'r tŷ – ac fe roddodd Emyr Owen ei ganiatâd.

* * *

Roedd stafell fechan i fyny'r grisiau oedd yn cael ei defnyddio fel swyddfa. Roedd popeth yn ei le: y pregethau i gyd wedi eu ffeilio'n drefnus. Roedd cypyrddau taclus a silffoedd o lyfrau. Agorodd DC Roberts un o'r cypyrddau a daeth o hyd i gylchgronau rhyw gwrywgydiol. Roedd 33 o lyfrau rhyw gwrywgydiol ar un silff. Tynnodd Gwyn Roberts rai o'r llyfrau oddi ar y silff, a thu ôl i'r llyfrau roedd pedwar bocs. Llithrodd y bocsys o'u cuddfan. Roedd pentyrrau o sleidiau ffotograffig yn y bocsys. Dewisodd DC Roberts un o'r sleidiau a'i ddal i fyny i'r golau. Gwelodd lun o organau rhywiol dyn. Roedd yr organau mewn tun, a glaswellt yn y cefndir, oedd yn awgrymu bod y llun wedi ei dynnu yn yr awyr agored.

Dangosodd DC Roberts y sleid i Emyr Owen a gofyn, "Be ydi hwn?"

"Post mortem," meddai'r gweinidog.

Roedd DC Roberts wedi mynychu sawl archwiliad post mortem yn ystod ei yrfa ac ni welodd erioed batholegydd yn torri'r organau rhywiol i ffwrdd. Mynnodd esboniad gan Emyr Owen, ac wedi mymryn o bwyso dywedodd y gweinidog, "Mi wnes i eu torri nhw i ffwrdd. Yn y capel cyn eu claddu. Mi wnes i ddefnyddio cyllell." Roedd o'n crynu drosto erbyn hyn, yn amlwg yn nerfus dros ben. Gofynnodd DC Roberts iddo a gâi weld y gyllell. Aeth Emyr Owen i nôl bocs a dyna lle roedd hi, ynghyd â chortyn, chwistrell, rasel, gefynnau llaw, dwy gyllell arall, cneifiwr gwallt, tyrnsgriw, a gefel. Honnodd iddo brynu'r eitemau pan oedd yn weinidog yn Princes Road rhwng 1965 ac 1972.

Cyfaddefodd Emyr Owen iddo dynnu'r cloriau oddi ar dair arch oedd yn ei gapel yn barod i gael eu claddu. Fel gweinidog oedd â gofal dros y capeli, roedd o'n gallu mynd a dod o'r addoldy. Torrodd yr organau rhywiol o'r cyrff, ac yna aeth ati i dynnu lluniau cyrff eraill.

Dywedodd DC Roberts wrth Emyr Owen eu bod am ei gludo i orsaf yr heddlu. Gofynnodd y gweinidog, "A fydda i'n cael fy nghadw yno? Mae gen i gardiau Nadolig ac anrhegion a ballu i'w paratoi. Be fydd yn digwydd fory? Dw i'n pregethu yng Nghorris yn y bore. Sut fedra i roi gwybod iddyn nhw?"

Ar y ffordd i Ddolgellau, dywedodd Emyr Owen, "Dw i'n falch fod hyn wedi cael ei ddatgelu. Mae'n faich oddi ar fy sgwyddau i. Mae hyn wedi cael ei stopio cyn i ddim byd gwaeth ddigwydd."

* * *

Ar ôl dychwelyd i'r orsaf, fe aeth DC Roberts i weld yr uwch-arolygydd a dweud wrtho, "Dw i wedi hitio'r jacpot, bòs."

Doedd yr uwch-arolygydd ddim yn gallu credu. Roedd hi'n anodd, mewn gwirionedd, i unrhyw un gredu. Ond daeth y gwir dychrynllyd i'r wyneb wrth i Emyr Owen gael ei groesholi yng ngorsaf heddlu Dolgellau.

Cyfaddefodd iddo lurgunio tri chorff a oedd dan ei ofal. Disgrifiodd sut y gwnaeth droi un corff wyneb i lawr a gosod bariau tân trydan ar gnawd y pen-ôl. Achosodd hyn i'r croen losgi. Holwyd o ynglŷn â'r chwistrell hefyd. Dywedodd ei fod yn ei ddefnyddio i chwistrellu'r organau rhywiol â dŵr poeth er mwyn achosi codiad. Gofynnodd DC Roberts iddo pam oedd o'n ymddwyn mewn modd anghyffredin a brwnt, a honnodd y gweinidog mai gwraidd y cyfan oedd y digwyddiad hwnnw yn Chwarel Oakley ymron i hanner canrif ynghynt pan dynnwyd ei drowsus i lawr gan ei gyd-weithwyr. Dywedodd mai rhyw fath o ddefod dderbyn oedd hynny, ond beth bynnag oedd cefndir y weithred, fe gafodd effaith ddirdynnol ar Emyr Owen.

Holodd DC Roberts ynglŷn â chyflwr meddwl y gweinidog. "Nid salwch meddyliol," meddai, "ond sâl drwy fyw ffantasïau."

Yn ystod y croesholi, dechreuodd Emyr Owen gyfeirio at gymeriad arall – yr un drwg oedd y tu mewn iddo – yr 'Emyr Drwg' oedd yn llechu yn yr 'Emyr Da'. Dywedodd wrth DC Roberts, "Petai o (y Drwg) wedi cael parhau, dw i'n meddwl y byddai wedi cyflawni pethau mwy difrifol. Ond welwch chi ddim mohono fo byth eto. Pan osodais i glawr yr arch yn ôl, mi wnes i addo na fyddwn i'n gwneud y ffasiwn beth byth eto. 'Dach chi'n gweld, doedd gen i ddim rheolaeth drosto fo. Ni fyddai'r Emyr Owen sy'n siarad â chi nawr yn breuddwydio gwneud y fath beth. Dod i fy mhen i wnaeth o – y düwch dieflig yma – a dyma fo'n digwydd. Fedrwn i wneud dim ynglŷn â'r peth."

Honnodd iddo ddychwelyd yr organau rhywiol i'r eirch ond yn ddiweddarach cyfaddefodd iddo losgi un a bwydo rhai eraill i wylanod môr.

Ar ôl cwblhau cyfaddefiad llawn, trodd Emyr Owen i wynebu DC Roberts a dweud, "Bu'r gwaith yma ddim yn hawdd i chi. Mae'n rhaid 'mod i'n debyg i Draciwla."

Cyhuddwyd Emyr Owen o wneud bygythiad i ladd a llurgunio cyrff.

"Doeddwn i ddim yn ymwybodol 'mod i'n gwneud hyn," meddai. "Mae'n wirioneddol ddrwg gen i a dw i'n teimlo'n ddychrynllyd. Mi wna i ymddiswyddo o'r eglwys ar fy union."

* * *

Ar Noswyl Nadolig 1984 yn Llys Ynadon Tywyn, cyhuddwyd Emyr Owen o fygwth lladd ac o lurgunio cyrff, rywbryd rhwng 1 Ebrill 1976 a 23 Rhagfyr 1984. Gwisgai drowsus llwyd, siwmper ddu gwddw siâp V a chrys brown. Yn y llys, eisteddodd wrth ochor DC Gwyn Roberts. Syllodd ar ei esgidiau drwy gydol y gwrandawiad pum munud a hanner. Gorchmynnodd yr Arolygydd Iwan Roberts i Emyr Owen gael ei gadw yn y ddalfa gan fod yr honiadau yn ei erbyn yn rhai difrifol. Cytunodd dirprwy gadeirydd y llys, Cynthia Davies. Cafodd Emyr Owen ei ddanfon i Ganolfan Gadw Risley. Dychrynwyd trigolion yr ardal gan y cyhuddiadau yn erbyn y cyn-weinidog. Roedd addolwyr capeli Emyr Owen, yn enwedig, wedi eu hysgwyd. Siomwyd hwy'n fawr, ac roedden nhw'n teimlo'n ffyrnig iawn tuag at y cyn-weinidog. Hyd heddiw, dros ugain mlynedd yn ddiweddarach, nid ydynt yn gallu amgyffred sut y digwyddodd y fath beth yn eu cymuned.

* * *

Dechreuodd achos syfrdanol Emyr Owen yn Llys y Goron Caer, o flaen Meistr Ustus Anthony Evans, ar 26 Mawrth 1985. Plediodd y cyn-weinidog yn euog i'r cyhuddiadau. Esboniodd Dr William Lawson, prif swyddog meddygol Risley, nad oedd tystiolaeth fod Emyr Owen yn dioddef o salwch meddwl. Roedd gan y gweinidog amheuon ynglŷn â'i ffydd ac roedd gwrthdaro ysbrydol o'r fath yn gallu cyfrannu at ymddygiad bisâr ymysg crefyddwyr o unrhyw ffydd, meddai'r swyddog meddygol. Roeddynt fel arfer yn troi at y ddiod feddwol, meddai. Ond yn achos Emyr Owen, roedd cwrw'n bechadurus ac nid oedd gan y gweinidog o Dywyn unrhyw un y gallai drafod ei drafferthion a'i amheuon gydag o. Roedd gan Emyr Owen amheuon ynglŷn â'i bwrpas mewn bywyd ac roedd o'n dechrau meddwl pam bod cymaint o ddioddef yn y byd. "Dw i'n teimlo mai dim ond trwy weddi y gall ddod o hyd i dawelwch meddwl," meddai Dr Lawson wrth y llys.

Roedd Emyr Owen yn gymeriad Jekyll a Hyde – un ochr dda ac un ochr ddrwg – meddai Geoffrey Kilfoil, bargyfreithiwr y cyn-weinidog. Credai fod ei Dduw yn llawn dial, yn Dduw creulon a chenfigennus, ac y byddai'n gorfod treulio gweddill ei fywyd mewn ofn ac arswyd.

"Teimlai fod Duw'n ei wawdio oherwydd iddo gwympo oddi wrth ras," meddai Mr Kilfoil wrth y llys. Dywedodd Meistr Ustus Evans fod yr hyn a wnaeth Emyr Owen yn "ddigon i droi'r stumog". Roedd ymarferiadau gwrywgydiol preifat Emyr Owen, meddai, wedi troi'n wyrdroadau preifat. Pan drystiwyd Emyr Owen i ofalu, am y tro cyntaf, am gyrff cyn eu claddu, fe gyflawnodd droseddau sy'n annerbyniol mewn cymdeithas wâr, meddai Meistr Ustus Evans.

Dywedodd y barnwr, "Mae'n ofynnol fod y ddedfryd yn adlewyrchu arswyd a ffieidd-dod unrhyw berson parchus." Roedd gan y gymuned ffydd yn Emyr Owen fel gweinidog a chanddo ofal eglwys, meddai. Ond ddaru o fradychu'r ffydd honno yn yr union fodd yr amharchodd y meirw, meddai'r barnwr. Ychwanegodd na ddylid rhyddhau enwau'r teuluoedd a dderbyniodd y llythyrau bygythiol ac roedd Huw Daniel, bargyfreithiwr y Goron, o'r un farn pan ddywedodd na fyddai'n datgelu enwau'r meirw y gwnaeth Emyr Owen eu llurgunio.

Carcharwyd Emyr Owen am ddwy flynedd a hanner am lurgunio'r cyrff, ac am ddeunaw mis am fygwth lladd – cyfanswm o bedair blynedd yn y carchar. Dyma dro ar fyd i ŵr a fu, prin dair blynedd ynghynt, yn sefyll ysgwydd wrth ysgwydd gyda barnwr wrth iddo gyflawni ei gyfrifoldebau fel caplan i'r Uwch Siryf. Roedd ei yrfa ar ben, roedd ei enw'n faw, ac ni fyddai'n cael croeso yn Nhywyn byth eto. Bellach, adwaenid Emyr Owen fel Carcharor H 22261.

* * *

Talodd Meistr Ustus Evans deyrnged i'r Ditectif Gwnstabl Gwyn Roberts, gan awgrymu y dylai gael ei gymeradwyo am ei ymdrechion. Cafodd dystysgrif gymeradwyol gan y Prif Gwnstabl David Owen. Ond nid dyma'r unig dro i DC Roberts gael ei gymeradwyo a'i anrhydeddu.

Mae stori DC Roberts a stori Emyr Owen yn cydredeg. Dyma ddau begwn dynoliaeth, mewn gwirionedd: ar y naill law, y ditectif trylwyr, proffesiynol, ei ymddygiad bob amser yn gywir; ac ar y llall, gweinidog rhagrithiol a oedd wedi ffieiddio cymdeithas ac wedi bradychu'r ffydd y mae cymuned yn ei rhoi ym mugail eu capel. Wrth gwrs, mae'n rhaid cydymdeimlo ag Emyr Owen i raddau: roedd o'n wrywgydiwr mewn cymdeithas nad oedd yn derbyn gwrywgydwyr. Roedd hi'n andros o anodd iddo, ac yntau'n ŵr ifanc a gwrywgydiaeth yn anghyfreithlon. Hyd yn oed pan gyfreithlonwyd gwrywgydiaeth yn y chwedegau, doedd cymdeithas ddim yn barod i dderbyn y syniad o ddyn a dyn. Ond rhaid cofio bod miloedd o wrywgydwyr o'r un genhedlaeth ag Emyr Owen na wnaeth groesi ffin rheswm a gwneud y pethau dychrynllyd a wnaeth y gweinidog.

Rhyddhawyd Emyr Owen ar barôl ar 2 Gorffennaf 1986, wedi treulio 19 mis yn y carchar. Diddymwyd trwydded y parôl ar 24 Awst 1987 ac roedd y cyn-weinidog unwaith eto'n ddyn rhydd. Symudodd i Landudno a dechrau cyfrannu llythyrau i'r *Daily Post*.

Parhaodd Gwyn Roberts, yn y cyfamser, i brofi llwyddiant gyda Heddlu Gogledd Cymru. Cafodd ei ddewis yn rhan o'r tîm a oedd yn amddiffyn Jacqueline Kennedy Onassis – gweddw'r Arlywydd Americanaidd, John F. Kennedy – pan ymwelodd hi â Gogledd Cymru i fynychu angladd Arglwydd Harlech, cyn-lysgennad Prydain yn yr Unol Daleithiau. Yn 1987 fe arestiodd o lofrudd Justine Harley, merch 16 oed a grogwyd mewn beddrod yn Tunstall, Stoke-on-Trent. Roedd y dihiryn yn ardal Dolgellau ar y pryd a DC Roberts – ar ôl iddo dreulio dyddiau'n ymholi ynglŷn â'r dihiryn – a gafodd afael ynddo wrth droed Cader Idris.

Ar 21 Mehefin 1988, fe saethwyd William Straw yn farw, bridiwr moch 60 oed o Nottingham. Rhai dyddiau'n ddiweddarach, darganfuwyd car y ddau oedd yn cael eu hamau o lofruddio Mr Straw wrth stad o dai yn y Bala. Gwnaeth DC Roberts gais am dîm o heddlu arfog a chŵn heddlu i ddod i'r ardal, ond fe wrthodwyd y cais. Yn anffodus, roedd Margaret Thatcher, y Prif

Weinidog ar y pryd, yn ymweld â Llandudno y diwrnod hwnnw. Roedd hynny'n fwy pwysig na dal dau ddihiryn. Gan achub y blaen, penderfynodd DC Roberts a chydweithiwr iddo ymddwyn fel dau feddwyn gwyllt yn agos at y car. Pan ddaeth y ddau ddyn at y cerbyd – heb feddwl dwywaith mai plismyn oedd yr ymladdwyr meddw – cydiodd DC Roberts a'r ditectif arall ynddynt. Mae digonedd o esiamplau ar gael o lwyddiannau Gwyn Roberts. Erbyn iddo ymddeol ar 15 Ebrill 1991, roedd wedi ei gymeradwyo saith gwaith ac wedi arestio tua 1,000 o ddihirod ers iddo ymuno â'r heddlu yn Sir Ddinbych yn 1963. Pan ymddeolodd, felly, roedd hi'n naturiol iddo feddwl fod ei gysylltiad ag Emyr Owen, y gweinidog gwyrdroëdig, wedi dod i ben. Ond byddai'r hen Emyr yn aros gyda DC Roberts am rai blynyddoedd eto, ac yn codi ei ben bob hyn a hyn.

* * *

Yn y nawdegau cynnar, darlledwyd cyfweliad ag Emyr Owen ar S4C. Vaughan Hughes a'i gwmni Ffilmiau'r Bont oedd yn gyfrifol, ac fe gynhyrchwyd rhaglen hanner awr o dan y teitl *Emyr Dda, Emyr Ddrwg*. Cyfrannodd Gwyn Roberts i'r rhaglen hefyd. Dyma'r unig gyfweliad – heblaw am yr adegau y bu'n eistedd gyferbyn â Gwyn Roberts mewn cell heddlu – y bodlonodd Emyr Owen iddo. Cyfaddefodd wrth Vaughan Hughes iddo geisio cadw'i dueddiadau gwrywgydiol o dan reolaeth, yn enwedig yn y pumdegau a'r chwedegau, pan oedd y gymdeithas yn llai goddefgar. Roedd o'n casáu'r ffaith fod y tueddiadau yno, ond dywedodd nad oeddent yn amharu ar ei waith fel gweinidog. Er ei fod yn mwynhau bywyd dinesig Coventry a Lerpwl, gwadodd iddo gymryd rhan yn y cymdeithasau gwrywgydiol a oedd yno a gwadodd iddo gael perthynas wrywgydiol – roedd o'n cadw'i ddyheadau o dan reolaeth, meddai.

Ond roedd pethau'n dweud ar Emyr Owen. Roedd o'n clywed yn ddyddiol am blant yn cael eu hymosod arnynt a phriodasau'n torri. Roedd y byd yn lle brwnt, ac wrth wraidd yr annibendod i gyd yr oedd, yn nhyb Emyr Owen, yr organau rhywiol. Honnodd iddo glywed lleisiau'n ei argymell i dorri organau rhywiol dyn, ac iddo wneud hyn deirgwaith. Dywedodd wrth Vaughan Hughes iddo frwydro yn erbyn y syniad – ond methu'n lân â threchu 'galwad' y lleisiau.

"Mi oedd gen i ofn yr organau; roedd gas gen i'r organau," meddai.

Cyfaddefodd iddo arddangos y sleidiau iddo'i hun, ac yna rhegi'r organau oedd yn cael eu dangos yn y lluniau. Byddai hefyd yn cynnal cynhebrwng gan wybod bod rhan o gorff yr unigolyn roedd o'n ei gladdu ganddo fo. Mae o'n cyfaddef y byddai wedi mynd â'r cyrff adref pe bai hynny'n bosib. Roedd llawer wedi cyhuddo Emyr Owen o wasanaethu'r Diafol, ond gwadai hyn, a gwadodd hefyd gymryd rhan mewn defodau.

Ond nid oedd Gwyn Roberts o'r un farn. Beth bynnag, plediodd Emyr Owen na ddeuai'r Emyr Drwg fyth yn ôl. Ond, unwaith eto, roedd rheswm i gredu bod y cyn-weinidog yn dweud anwiredd.

* * *

Rhyw bymtheg mis ar ôl ei ymddeoliad, cafodd Gwyn Roberts alwad gan henadur capel ym Mochdre, ger Bae Colwyn. Roedd gwraig weddw a oedd yn aelod o'r capel wedi derbyn llythyr dienw. Gwyddai'r henadur fod y cyn-dditectif wedi bod yn rhan o ymchwiliad rai blynyddoedd ynghynt yn ymwneud â llythyrau dienw. Pan welodd Gwyn Roberts y llythyr, sylwodd ar y gair 'Bethlehem' a'r modd unigryw yr ysgrifennwyd y lythyren 'T'. Fe ymwelodd ag Emyr Owen a gofyn iddo ai fo oedd yn gyfrifol. Gwadodd y cyn-weinidog. Dywedodd Gwyn Roberts, "Roedd o'n edrych ar ei sgidiau ac yn gwadu mai fo sgrifennodd y llythyr."

Gwyddai'r cyn-dditectif fod yr ystum o edrych ar ei sgidiau yn arwydd fod Emyr Owen yn dweud anwiredd. Mae'r cyn-heddwas yn gwbwl bendant – "Emyr Owen oedd yn gyfrifol," meddai, yn ddiweddarach. Doedd ganddo ddim prawf – dim ond greddf a phrofiad. Ond yn anffodus fyddai hynny ddim yn ddigon mewn llys barn.

Penderfynodd henuriaid y capel rybuddio Emyr

Owen ynglŷn â'i ymddygiad. Gadawodd yntau'r capel ar ei union, ac ni fu'n aelod yno wedi hynny. Bu'n byw yn Llandudno am weddill ei oes. Bu farw'n 78 oed ar 25 Ionawr 2001. Llosgwyd ei gorff yn Amlosgfa Bae Colwyn ar 1 Chwefror 2001. Dim ond llond dwrn o dystion a oedd yno. Cyfrannwyd ei enillion at yr RSPCA ym Mryn y Maen, Bae Colwyn.

Ond nid dyna'r diwedd. Mae un neu ddau ddirgelwch sydd heb eu datrys. I ddechrau, pwy – neu be – laddodd y defaid yn Abertrinant yn 1984? Mae Gwyn Roberts o'r farn mai anifail gwyllt oedd yn gyfrifol. Roedd yr anafiadau'n frwnt, yn debyg i ddannedd yn rhwygo, meddai. Mae sawl stori am gathod gwyllt enfawr yn crwydro cefn gwlad Cymru ac mae Mr Roberts yn eithaf sicr mai anifail felly a ymosododd ar y defaid.

A beth am y beddrod yn Eglwys Ynyscaehaearn, lle cychwynnodd y stori hon yn 1981? Holwyd Emyr Owen ynglŷn â'r digwyddiad yn yr eglwys pan arestiwyd o yn Rhagfyr 1984. Roedd hi'n ffaith ei fod wedi ymweld â chyfaill ym Morfa Nefyn ac roedd yr eglwys ar y llwybr i'r pentref hwnnw. Ond gwadu'n llipa mai ef oedd yn gyfrifol a wnaeth Emyr Owen, meddai Gwyn Roberts. Syllai i lawr ar ei sgidiau – arwydd unwaith eto, yn ôl y ditectif, fod y gweinidog yn dweud celwydd. Beth bynnag, doedd dim digon o dystiolaeth i'w gyhuddo o dorri i mewn i'r beddrod a chyflawni defod ddieflig. Ond roedd Gwyn Roberts yn bendant mai Emyr Owen oedd yn gyfrifol.

Rai misoedd ar ôl darlledu cyfweliad Vaughan Hughes gydag Emyr Owen, roedd Gwyn Roberts yn digwydd bod mewn siop ym Mhorthmadog. Roedd y ditectif yn gymeriad digon adnabyddus, wrth gwrs: bu'n wyneb cyfarwydd ar y teledu, yn cynorthwyo cynhyrchwyr oedd yn llunio rhaglenni ar droseddau amlwg. Sgwrsiodd â gwraig y siop, ac, yn anochel, fe ddaeth enw Emyr Owen i'r sgwrs. Datgelodd y wraig fod y gweinidog yn ymwelydd cyson â'r siop ar ddechrau'r wythdegau; roedd o yno rhyw ddwywaith neu deirgwaith y mis, meddai. Byddai'n taro draw i brynu canhwyllau porffor. Rhyw dair blynedd yn ddiweddarach, digwyddodd Gwyn Roberts ddod ar draws Emyr Owen yn Llandudno. Gofynnodd y cyn-dditectif a oedd yr hyn a ddywedodd gwraig y siop yn wir. Gwadodd Emyr Owen iddo brynu canhwyllau porffor yn y siop, ac wrth wadu edrychodd i lawr ar ei sgidiau – yn yr un modd yr edrychodd ar ei sgidiau wrth gael ei holi gan Gwyn Robert flynyddoedd ynghynt; yn yr un modd yr edrychodd ar ei sgidiau wrth ddweud anwiredd.

* * *

Nid yw hyn yn brawf pendant fod Emyr Owen – gyda chyfaill, neu gyfeillion, mae'n debyg – wedi torri i mewn i feddrod Eglwys Ynyscaehaearn yn 1981 ac wedi cynnal seremoni ddewiniaeth ddu. Ond mae'r dystiolaeth amgylchiadol yn gryf ac mae profiad a thrwyn craff Gwyn Roberts, hefyd, yn dweud wrtho mai'r gweinidog ecsentrig o Flaenau Ffestiniog oedd yn gyfrifol. Mae'n debyg mai dyma'r achos enwocaf y bu Gwyn Roberts yn ymwneud ag o. Beth fyddai wedi digwydd pe bai heb ddal Emyr Owen? Mae'r cyn-dditectif yn bendant: "Mi fasa Emyr Owen wedi lladd," meddai.

ACHOS 3: DAVID MORRIS
BWYSTFIL Y GADWYN AUR

ROEDD Mandy Power yn fodlon ei byd erbyn Mehefin 1999. Rhannai gartref hapus yn Ffordd Kelvin, Clydach, ger Abertawe, gyda'i genod Katie ac Emily, a'i mam, Doris Dawson, oedd yn 80 oed. Mwynhâi berthynas sefydlog gydag Alison Lewis, cyn-blismones oedd wedi chwarae rygbi dros Gymru. Roedd Alison yn briod â Stephen Lewis, arolygydd dros dro gyda Heddlu De Cymru. Ond roedd Alison wedi sylweddoli ei bod hi'n lesbiad, ac roedd wedi cael ei denu gan Mandy. Datblygodd perthynas gariadus a chorfforol rhyngddynt, ac roedd Mandy'n hapus. Cymaint oedd y cariad a deimlai tuag at Alison nes iddi benderfynu na ffurfiai berthynas gyda dyn byth eto.

Cyfarfu Mandy â Michael Power ar ôl iddi adael yr ysgol yn 16 oed. Priododd y pâr yn 1986. Dychwelodd Mandy a'i gŵr i fyw yng nghartref y teulu gyda Mrs Dawson, mam Mandy, a oedd yn wraig weddw. Dioddefodd o waedlif ar yr ymennydd flynyddoedd ynghynt ac roedd ei hiechyd yn fregus. Ond roedd hi mewn hwyliau da ac roedd pawb a oedd yn ei hadnabod yn hoff ohoni. Roedd Mrs Dawson yn fwy na bodlon i'r pâr priod ddod i fyw ati. Ganed dwy ferch i Michael a Mandy – Katie yn 1989 ac Emily ddwy flynedd wedyn.

Dechreuodd Mandy weithio fel nyrs dros dro. Roedd Michael yn bobydd, ac yn gweithio'n gynnar yn y bore. Nid oedd y naill yn gweld rhyw lawer ar y llall oherwydd eu swyddi. Yn anffodus, fe ddaeth y briodas i ben yn 1998 ac roedd Mandy wedi torri ei chalon.

Gorfodwyd i Mandy, Mrs Dawson, Katie, ac Emily, adael eu cartref oherwydd trafferthion ariannol, a symudodd y teulu i dŷ rhent ar Ffordd Kelvin. Pan symudon nhw i'w cartref newydd, sylweddolwyd bod y perchennog wedi gadael nifer o eitemau yno cyn iddo symud allan er mwyn gallu rhentu'r lle. Un o'r eitemau a adawyd oedd polyn trwm. Datgelwyd bod y perchennog wedi gadael y polyn yn y tŷ er mwyn i'w wraig allu amddiffyn ei hun yn erbyn tresmaswyr.

Cafodd Mandy berthynas gydag un neu ddau o ddynion lleol ar ôl gwahanu oddi wrth ei gŵr. Roedd eraill, hefyd, yn ymweld â hi yn ei chartref newydd, gan gynnwys cyfaill o'r enw Mandy Jewell. Roedd Miss Jewell yn byw gyda David Morris ar y pryd. Llabwst oedd Morris, yn ddyn creulon a brwnt. Dedfrydwyd ef i bedair blynedd yn y carchar am ymosod ar wraig a dwyn ei bag llaw yn 1987. Ymosododd ar ddyn unwaith gan ei daro dros ei ben â bar haearn a morthwyl. Roedd hefyd yn camdrin Miss Jewell ac nid oedd Mandy Power yn hoff ohono – yn wir, ymosododd Morris arni hi unwaith. Er hynny, roedd y ddwy Mandy'n gyfeillion.

Yna, dyma Mandy Power yn cyfarfod ag Alison, ac roedd pob dim fel petai'n fêl i gyd.

* * *

Roedd Alison Lewis yn lesbiad a chafodd ei pherthynas lesbaidd gyntaf yn 1996. Dechreuodd chwarae rygbi i dîm merched Ystradgynlais. Chwaraeai ar yr asgell ac fe enillodd saith cap dros Gymru. Treuliai lawer o amser gyda'i chyfeillion newydd, ac roedd yna nifer o lesbiaid yn y byd rygbi, felly roedd hynny'n ei gwneud yn hapus.

Ond achosai hyn gryn boen meddwl iddi. Roedd hi'n briod, yn fam, ond am fyw ei bywyd fel lesbiad ond ni fedrai gyfaddef hynny wrth ei gŵr, Stephen. Teimlai Alison yn euog gan fod Stephen yn ŵr da iddi, ac roedd felly'n ddryslyd ac yn bryderus. Erbyn hynny, roedd hi'n chwarae i dîm rygbi yr Uplands, ger Abertawe, ac ym mis Tachwedd 1998, fe aeth i noson ddarllen cardiau Tarot gyda rhai o'i chyfeillion o'r clwb rygbi. Cynhaliwyd y noson yng nghartref Mandy Power, un o gefnogwyr y clwb. Y noson honno, cyfarfu'r ddwy am y tro cyntaf. O fewn pythefnos, roedden nhw'n gariadon.

Datblygodd perthynas ddofn rhyngddynt. Byddai Alison yn dweud wrth ei gŵr ei bod yn aros gyda Mandy er mwyn rhoi help llaw iddi edrych ar ôl Mrs Dawson. Ond fe aeth pethau o chwith rhwng Mandy ac Alison a rhoddodd Alison derfyn ar y berthynas pan ddechreuodd Mandy erfyn gormod o sylw. Yna, dechreuodd Mandy ddweud wrth gyfeillion ei bod yn dioddef o gancr. Perswadiodd ei ffrindiau i'w gyrru i'r ysbyty, ac arhoson nhw amdani tra'i bod hi'n cymryd arni ei bod yn cyfarfod â meddygon. Fodd bynnag, datgelwyd y gwirionedd a chafodd Mandy ffrae gyda sawl un o'i ffrindiau – gan gynnwys Mandy Jewell, cariad David Morris. Roedd Alison Lewis hefyd yn gandryll pan ddeallodd mai dweud anwiredd oedd Mandy am y cancr. Er hyn, fe ddaeth y ddwy'n gariadon unwaith eto ac roedd y berthynas rhyngddynt yn gryfach nag erioed. Roedd Alison yn ysu am ddatgelu'r cwbl wrth ei gŵr ond roedd arni ofn colli ei phlant. Eto i gyd roedd hi a Mandy'n awyddus i barhau â'u perthynas, ac fe aeth Alison i weld cyfreithiwr er mwyn trafod ysgaru Stephen.

Ond, ychydig wythnosau'n ddiweddarach, byddai bywyd Alison yn ddarnau.

* * *

Ar ddydd Sadwrn, 26 Mehefin 1999, roedd Cymru'n

chwarae De Affrica, ac fe aeth Janice Williams a chyfaill iddi i dafarn y New Inn yng Nghlydach i wylio'r gêm. Heb wahoddiad, fe ymunodd David Morris a Mandy Jewell â nhw. Dechreuodd y sgwrsio am Mandy Power a thrafodwyd y si fod Mandy'n dioddef o gancr. Wrth gwrs, roedd Mandy Jewell yn arfer bod yn ffrind i Mandy Power cyn iddi ddarganfod y celwydd am y cancr. Disgrifiodd Morris Mandy Power fel "ff**in ast ddieflig", a dywedodd nad oedd hi'n ffit i fod yn fam. Cyhuddodd hi o fod yn gnawes gelwyddog.

Ceisiodd Janice Williams dawelu'r dyfroedd trwy ddweud fod Mandy'n hael iawn, ond wnaeth hyn ddim pylu ffyrnigrwydd Morris. Er hynny, doedd o ddim yn gweiddi, ond roedd yn berwi o dan yr wyneb, meddai Mrs Williams.

"Roedd ei lygaid yn llydan agored ac wedi chwyddo ac mi allwn i weld y casineb yn ei wyneb. Roedd o'n edrych yn wyllt," meddai Mrs Williams. "Dywedodd David Morris nad oedd hi'n ffit i fod yn fam, ond roedd hynny'n anwiredd gan ei bod hi'n fam dda," ychwanegodd.

Roedd y ffaith fod Janice Williams yn cadw cefn Mandy wedi gwaethygu tymer Morris. Felly penderfynodd hi roi'r gorau iddi. Yfodd Morris saith neu wyth peint o lager ac roedd hynny cyn i Mrs Williams adael y dafarn. Roedd hi wedi mynd am adre cyn i Morris adael. Ond sylwodd Jane Hopkin, y dafarnwraig, fod Morris wedi gadael y New Inn y noson honno gyda golwg fygythiol ar ei wyneb.

Y bore canlynol, cafodd Janice Williams ei deffro gan Mandy Jewell a oedd mewn sterics. Dywedodd fod Mandy Power a'i phlant, a Doris Dawson, wedi marw mewn tân.

* * *

Dechreuodd arbenigwyr yr heddlu a'r frigâd dân fynd drwy weddillion y tŷ ar Ffordd Kelvin â chrib mân. Roedd yr olygfa'n un arswydus.

Darganfuwyd Mandy Power yn noethlymun. Ceulai'r gwaed ar ei phen ac yn ei gwallt. Roedd anaf mawr y tu ôl i'w chlust. Roedd Katie, Emily a Mrs Dawson yn farw hefyd, gydag arwyddion o drais ar eu cyrff hwythau. Roedd gwaed a difrod ymhobman. Roedd y bath yn hanner llawn o ddŵr gwaedlyd.

Nid damwain roedd yr heddlu'n ymchwilio iddi – roedd rhywun wedi lladd y teulu ac wedi cynnau'r tân yn fwriadol er mwyn cuddio'r drosedd wreiddiol, mae'n debyg.

Dros yr oriau wedyn, gwnaeth gwaith trylwyr yr arbenigwyr fforensig ddwyn ffrwyth. Daethant o hyd i bolyn haearn a oedd wedi cael ei ddefnyddio fel arf gan y llofrudd, a hefyd darganfuwyd cadwyn aur mewn pwll o waed yn stafell Mrs Dawson.

Datganodd Heddlu De Cymru yn gyhoeddus eu bod yn chwilio am lofrudd ac ymunodd tua 50 o heddweision yn yr ymchwiliad.

Brawychwyd y gymuned gan y newyddion. Roedd yr hanes wedi gwibio ar draws Clydach ac un o'r rheini a gafodd alwad ffôn gan gymydog i Mandy Power a'i theulu ar fore'r 27ain o Fehefin oedd Alison Lewis.

Rhuthrodd i Ffordd Kelvin. Roedd heddlu ac ymladdwyr tân ymhobman. Fe aeth Alison i gartref cymydog i Mandy a dywedodd honno wrthi, "Maen nhw wedi mynd."

Allai Alison ddim credu beth oedd wedi digwydd. Roedd hi wedi torri ei chalon. Ceisiodd ddod o hyd i Mandy, ac roedd yn gwrthod derbyn ei bod hi wedi marw. Yn ddiweddarach y diwrnod hwnnw cyfaddefodd i'w gŵr, Stephen, ei bod hi a Mandy Power yn gariadon.

Y diwrnod hwnnw, sef 27 Mehefin, diwrnod y llofruddiaethau, aeth David Morris draw i dŷ Terence Williams i brynu canabis. Roedd Williams yn delio mewn cyffuriau ac roedd o wedi gwerthu sylffad amffetamin – y cyffur 'speed' – i Morris dair gwaith yn ystod y tri diwrnod cyn y llofruddiaethau. Roedd Williams wedi gweld Morris yn chwistrellu'r cyffur o'r blaen a gwerthodd dri phecyn dau gram iddo am £10 yr un. Er i Morris brynu'r cyffur gan Williams yn y gorffennol, nid oedd erioed o'r blaen wedi ymweld â'r deliwr dri diwrnod yn olynol.

Mae 'speed' yn cyflymu'r meddwl ac yn cadw'r defnyddiwr ar bigau'r drain. Gall y cyffur wneud rhywun yn seicotig hefyd. Byddai Morris yn defnyddio'r cyffur rhyw unwaith neu ddwy yr wythnos, ond ar noson y gêm, nid yn unig y defnyddiodd Morris 'speed', ond yfodd saith neu wyth peint o gwrw ar ben hynny.

Doedd gan Terence Williams ddim canabis y diwrnod hwnnw. Cytunodd ei wraig, Beverley, i roi lifft i Morris i'r siop. Sylwodd fod ganddo gripiad ar ochor ei drwyn, a doedd y gadwyn aur y byddai'n ei gwisgo bob amser ddim o gwmpas ei wddf.

* * *

Ddiwrnod ar ôl y llofruddiaethau – dydd Llun, 28 Mehefin – roedd Morris yn gweithio ar safle adeiladu gyda'i ewyrth, Eric Williams. Dywedodd Morris wrth ei ewyrth ei fod wedi cael rhyw gyda Mandy Power ddau ddiwrnod cyn iddi hi a'i theulu gael eu llofruddio. Honnodd Morris fod Mandy wedi erfyn arno i roi rhywbeth iddi er mwyn sicrhau ei fod yn dychwelyd i'w chartref y diwrnod canlynol. Datgelodd i'w ewyrth ei fod wedi gadael ei gadwyn aur yno. Ond roedd Morris yn gwisgo'r gadwyn yn nhafarn y New Inn noson cyn y llofruddiaethau.

Bwriadai Morris fynd i nôl y gadwyn y diwrnod canlynol, fel y cytunwyd, meddai wrth ei ewyrth. Ond, meddai wedyn, yn hytrach na mynd draw i Ffordd Kelvin, treuliodd y diwrnod gyda'i gariad, Mandy Jewell.

Taerai Morris nad oedd o am i'r heddlu ganfod mai ef oedd biau'r gadwyn rhag ofn i Mandy Jewell ddod i wybod ei fod yn cysgu gyda Mandy Power. Byddai Mandy J. yn torri ei geilliau i ffwrdd pe bai'n gwybod am ei berthynas gyda Mandy P., meddai wrth Mr Williams.

Ychydig ddyddiau ar ôl i Morris sgwrsio gyda Mr Williams am y gadwyn, fe aeth yr heddlu draw i gartref Morris yng Nghraigcefnparc i gael datganiad ganddo. Nid oedd hyn yn anghyffredin. Roedd yr heddlu'n holi pawb oedd â chysylltiad â Mandy Power. Dywedodd wrth yr heddlu ei fod wedi gadael y New Inn am 11.30 p.m. ac wedi cyrraedd adre ychydig cyn hanner nos. Cadarnhaodd Mandy Jewell hyn, er iddi gyhuddo Morris o fod wedi aros allan drwy'r nos.

Bron i bythefnos yn ddiweddarach, ar 13 Gorffennaf, darlledwyd apêl am wybodaeth ynglŷn â'r llofruddiaethau ar raglen *Crimewatch* y BBC. Fel rhan o'r apêl, datgelwyd bod cadwyn aur wedi ei darganfod yng nghanol dinistr cartref y teulu.

Ar ôl i'r rhaglen gael ei darlledu, gofynnodd Morris i'w ewyrth brynu cadwyn aur newydd iddo. Cytunodd Mr Williams gan na chredai am eiliad fod ei nai yn gyfrifol am y llofruddiaethau. Ond wedi honiad Morris ei fod wedi cael rhyw gyda Mandy Power – a'r ffaith i'w gadwyn aur gael ei darganfod yn y tŷ – gwyddai y byddai'n siŵr o gael ei amau. A phe bai Morris ei hun wedi mynd at emydd i brynu cadwyn newydd, byddai'r heddlu, a oedd yn ymweld â gemyddion yr ardal, yn siŵr o ddarganfod hyn, ac yn ei gysylltu â'r llofruddiaethau.

Prynodd Mr Williams gadwyn aur gan emydd yn Abertawe am £170. Roedd Morris yn aros amdano yn y car y tu allan i'r siop. Rhoddodd yr ewythr y gadwyn i'w nai a gyrrodd y ddau'n ôl i'r safle adeiladu lle roeddynt yn gweithio.

Wedi cyrraedd y safle gwaith, cymerodd Morris ychydig o sment sych a'i rwbio i'r gadwyn er mwyn gwneud iddi ymddangos yn hen. Difrododd y clasbyn oedd yn cau'r gadwyn hefyd gan fod clasbyn y gadwyn wreiddiol wedi malu rywfaint.

Ni chysidrodd Mr Williams fod dim o'i le ac, wrth gwrs, nid oedd yn amau ei nai. Credai stori Morris; credai fod Morris a Mandy Power wedi cael rhyw heb yn wybod i gariadon y ddau. Ond y gwir oedd bod ar Mandy ofn Morris. Roedd o wedi ymosod arni ddwy flynedd ynghynt.

Rhoddai Morris yr argraff nad oedd yn cytuno gyda ffordd o fyw Mandy Power: roedd hi'n llac ei moesau, meddai'r adeiladwr. Disgrifiodd achlysur pan oedd Mandy Jewell a Mandy Power wedi bod allan am noson a'r ddwy wedi dychwelyd yn feddw yn oriau mân y bore.

Dechreuodd Mandy P. ddadlau gyda Morris. Poethodd pethau a gwthiodd Morris ei law yn erbyn pen Mandy. Honnodd mai dyma'r unig dro y bu'n dreisiol tuag ati. Wedi'r cwbl, tystiai Morris ei fod yn cael perthynas rywiol gyda Mandy Power.

Ond y gwir amdani oedd bod Mandy'n driw i Alison Lewis a bod arni ofn yr adeiladwr o Graigcefnparc. Roedd hi wedi datgelu hyn i gyfeillion a chyd-weithwyr. Celwydd oedd honiad Morris iddo gael perthynas gyda Mandy Power.

* * *

Ym mis Medi 1999, ymron i dri mis wedi'r llofruddiaethau, cynigiodd yr heddlu wobr o £30,000 am wybodaeth a fyddai'n arwain at gyhuddiad.

Ddyddiau'n ddiweddarach, ymwelodd ditectifs â chartref Morris unwaith eto a gofyn am gael gweld ei gadwyn aur. Gwrthododd Morris. Ychydig dros wythnos yn ddiweddarach, dychwelodd yr heddlu i gartref Morris. Dangosodd y ditectif lun o'r gadwyn aur a ddarganfuwyd yn Ffordd Kelvin iddo. Dywedodd yr adeiladwr wrthynt nad oedd yn adnabod y gadwyn.

Roedd y Nadolig yn agosáu, a dim argoel fod yr heddlu'n agos at ddatrys y drosedd. Ar 17 Rhagfyr, chwe mis ar ôl y llofruddiaethau, fe apeliodd Sandra Jones, chwaer Mandy, am gymorth. Ond aeth y Nadolig heibio – Nadolig tywyll a thrist i deulu a chyfeillion y pedair a laddwyd chwe mis ynghynt.

Yn y flwyddyn newydd, ymwelodd yr heddlu â David Morris unwaith eto. Ond fel o'r blaen, ni fu'r adeiladwr yn gymorth iddynt. Parhaodd yr ymchwiliad. Arestiwyd neb. Roedd yr heddlu'n dal i bori drwy'r dystiolaeth, yn chwilio am gliwiau a fyddai'n arwain at ddal y llofrudd. Ar 21 Mehefin, bron i flwyddyn wedi'r digwyddiad, apeliodd teulu Mandy unwaith eto am gymorth i ddal y llofrudd. Darlledwyd yr apêl ar *Crimewatch*, yr eilwaith i'r achos gael sylw ar y rhaglen honno. Sefydlodd yr heddlu uned symudol y tu allan i'r tŷ lle lladdwyd y teulu er mwyn ceisio datgelu rhagor o dystiolaeth.

Ac ar 4 Gorffennaf 2000, fe ddaeth newyddion syfrdanol.

* * *

Arestiwyd Alison a Stephen Lewis. Roedd yr heddlu'n eu hamau o fod yn gyfrifol am ladd Mandy Power a'i theulu. Hefyd, arestiwyd Stuart Lewis, efaill Stephen, a oedd yn arolygydd gyda Heddlu De Cymru. Roedd o'n cael ei amau o wyrdroi cwrs cyfiawnder.

Casglodd torf ffyrnig y tu allan i orsaf yr heddlu lle roedd Alison Lewis yn cael ei holi. Mae golygfeydd o'r fath yn gyffredin pan mae rhywun yn cael ei arestio: gwehilion yn pledu'r fan heddlu sy'n cludo'r rhai sy'n cael eu hamau, yn rhegi a melltithio unigolion sydd heb eu cyhuddo o'r drosedd. Mae gweld y fath beth yn codi ofn. Y gwir amdani yn yr achos hwn yw y byddai tri unigolyn diniwed wedi cael eu llarpio gan wehilion a oedd, ar ddiwedd y dydd, fawr gwell na'r llofrudd ei hun.

* * *

Ar ôl 96 awr yn y ddalfa, rhyddhawyd y tri ar fechnïaeth. Cafodd y brodyr Lewis eu diarddel o'r gwaith. Ymchwiliodd yr heddlu i'r dystiolaeth yn eu herbyn. Darganfuwyd DNA Alison Lewis ar glun Mandy Power. Dyna pryd y daeth y gwir amdani hi a Mandy i'r wyneb, wrth i'r heddlu ddarganfod ei bod hi a Mandy yn gariadon. Roeddent hefyd wedi darganfod bod Alison a Mandy wedi cweryla. Ar 6 Hydref, cytunwyd i ganiatáu mechnïaeth i Alison, Stephen a Stuart Lewis am dri mis. Ond wedi misoedd o boen meddwl i Alison a Stephen, cyhoeddodd Heddlu De Cymru ar 23 Ionawr 2001, nad oedden nhw'n bwriadu cyhuddo'r ddau o lofruddiaeth. Fe ryddhawyd Stuart Lewis hefyd. Dywedodd wrth y *Welsh Mirror* ei fod yn flin am iddo gael ei "lusgo drwy hyn i gyd".

Roedd Alison Lewis wedi torri ei chalon ar ôl i Mandy gael ei lladd ac aeth pethau o ddrwg i waeth pan fu'n rhaid iddi gyfaddef i'w gŵr ei bod mewn perthynas gyda Mandy. Gwaethygodd pethau'n fwyfwy pan arestiwyd hi. Felly, pan ddatganodd yr heddlu nad oeddynt yn ei hamau hi bellach, roedd hynny'n rhyddhad mawr iddi er nad oedd y dioddefaint ar ben iddi. Roedd blynyddoedd o boen yn ei hwynebu eto.

* * *

Er i'r heddlu amau David Morris o'r cychwyn, doedd dim tystiolaeth i'w gysylltu â'r troseddau. Roeddent wedi darganfod y gadwyn aur, wrth gwrs, a gwyddent fod gan Morris gadwyn debyg – ond roedd o wedi gwadu mai ef oedd yn berchen ar honno a ddarganfuwyd yng ngwaed Doris Dawson.

Roedd Eric Williams wedi prynu cadwyn aur i Morris yn lle honno roedd Morris wedi ei gadael, yn ôl ei stori, yng nghartref Mandy ar ôl iddynt gael rhyw. Roedd Mr Williams wedi datgelu'r stori honno i'w ffrindiau ac ym mis Mawrth 2001, cyfaddefodd i'r heddlu ei fod wedi mynd i Abertawe gyda Morris ac wedi prynu cadwyn iddo.

Arestiwyd Morris ar 20 Mawrth yng nghartref ei gariad, Mandy Jewell. Cafodd ei holi am 80 awr. Gwadodd mai ef oedd biau'r gadwyn aur. Pan holwyd o fisoedd ynghynt, roedd Morris wedi honni ei fod wedi dychwelyd adref ar ei union o dafarn y New Inn y noson y lladdwyd Mandy, Mrs Dawson, Emily a Katie. Cyrhaeddodd ei gartref am 11.30 p.m., meddai. Ond nawr, wrth gael ei groesholi, dywedodd nad oedd wedi cyrraedd adre tan 4 a.m.

Gwnaeth ei chwaer, Debra Morris, ddatganiad i'r wasg nad ei brawd oedd yn gyfrifol am y llofruddiaethau.

"Mae David wedi cael ei holi o'r blaen, ac wedi ei ryddhau. Mae o'n ddieuog," meddai wrth y *Daily Mirror*.

Ond am 4.13 p.m. ar 23 Mawrth, cyhuddwyd David Morris o lofruddio Mandy Power, Katie ac Emily Power a Doris Dawson. Dechreuodd arbenigwyr fforensig archwilio tystiolaeth a ddarganfuwyd mewn tai yn ardal Abertawe. Dywedodd teulu'r pedair oedd wedi eu lladd yng Nghlydach fod taith hir o'u blaenau a'u bod eisoes wedi dioddef 21 mis hunllefus.

Ar ôl cael ei arestio a'i gyhuddo, ceisiodd Morris gael ei ryddhau ar fechnïaeth. Cafodd ei gadw yn y ddalfa am ddeg diwrnod ond fe enillodd ei gyfreithiwr, David Hutchinson, iddo yr hawl i apelio am fechnïaeth. Ond colli'r apêl a wnaeth Morris. Bu'n rhaid iddo aros yn y ddalfa tan i'w achos ddechrau. Drwy gydol y cyfnod rhwng ei arestiad a'i achos, gwadai Morris mai ef oedd llofrudd Mandy Power a'i theulu, a gwadodd hefyd mai ef oedd yn berchen ar y gadwyn aur.

Ond ychydig ddyddiau cyn i'w achos gychwyn yn Llys y Goron, Abertawe, yn Ebrill 2002, dywedodd Morris ei bod hi'n debygol mai ei gadwyn ef oedd honno a ddarganfuwyd yng ngweddillion y tŷ. Honnodd eto, fel y dywedodd Eric Williams, iddo'i gadael yno ar ôl cael rhyw gyda Mandy Power. Yn ystod yr achos, dywedodd Dr Robert Bell, arbenigwr fforensig, fod smotyn o baent gwyrdd wedi ei ddarganfod ar y gadwyn y daethpwyd o hyd iddi yn y tŷ. Roedd y paent yn cyfateb i'r paent oedd ar yr unedau yng nghegin David Morris. Roedd yna hefyd farc llaw gwaedlyd ar y carped yn yr ystafell fyw. Cymharodd Dr Bell y print â 429 o brintiau llaw. Roedd David Morris yn y deg y cant uchaf. Roedd y llofrudd, yn ogystal, wedi cychwyn pedwar tân yn y tŷ, meddai Dr Bell. Ond y dystiolaeth fwyaf ysgytwol – yn enwedig i'r rheithgor – oedd fideo 40 munud roedd yr heddlu wedi ei ffilmio yn y tŷ.

Roedd y tâp yn dangos y difrod yn y cartref ond roedd hefyd yn dangos gweddillion Mandy Power, Doris Dawson, a Katie ac Emily Power. Roedd y llofrudd wedi eu curo â'r polyn haearn. Dioddefodd Mandy 38 o anafiadau yn ystod yr ymosodiad. Roedd ei mam a'i merched wedi eu curo'n ddidrugaredd hefyd. Roedd y llofrudd wedi lapio Mrs Dawson mewn papur ac wedi'i rhoi ar dân. Roedd y fideo'n frawychus, ac fe lewygodd aelod o'r rheithgor.

Bu'r achos yn un anodd. Treuliodd y rheithgor un ar ddeg wythnos yn gwrando ar dystiolaeth. Aeth Alison Lewis drwy boen meddwl pellach, wrth i dîm cyfreithiol David Morris geisio'i beio hi am y llofruddiaethau. Bu'n rhaid i Alison ddatgelu manylion personol am ei bywyd rhywiol hi a Mandy. Roedd gofyn gwneud hyn er mwyn

Mabel Leyshon. (Llun gan y *Daily Post*)

Mathew Hardman. (Llun gan y *Daily Post*)

Golygfa o Lanfairpwll yn nodi cartref Mabel Leyshon a chartref Mathew Hardman. (Llun: Gerallt Radcliffe)

Mathew Hardman, â blanced dros ei ben, yn cael ei arestio gan yr heddlu. (Llun: Gerallt Radcliffe)

Y tîm o dditectifs a ddaliodd Mathew Hardman, gyda'r Ditectif Uwch-arolygydd Alan Jones yn y canol. Tynnwyd y llun mewn cynhadledd i'r wasg ar ôl i Hardman gael ei garcharu am oes. Yn ystod y gynhadledd, bu'r ditectifs yn adrodd eu profiadau o'r ymchwiliad. (Llun: Gerallt Radcliffe)

Heddwas yn aros y tu allan i Ger y Tŵr, Llanfairpwll, cartref Mabel Leyshon, yn sgil darganfod ei chorff. (Llun: Gerallt Radcliffe)

Emyr Owen (dde) gyda Meurig Rees, Uwch Siryf Gwynedd. Penodwyd Owen yn gaplan i Mr Rees yn 1982. (Llun o'r *Daily Post*, Mawrth 1985.)

Isod: Gwyn Roberts (dde) a heddwas mewn lifrau yn tywys Emyr Owen i gar wedi iddo gael ei ddanfon i Lys y Goron i wrando'i achos. (Llun o'r *Daily Post*, Mawrth 1985.)

Y Ditectif Gwnstabl Gwyn Roberts, y gŵr a ddaliodd Emyr Owen, y gweinidog gwyrdroëdig. (Llun o'r *Daily Post*, Mawrth 1985)

Emyr Owen mewn llun a dynnwyd ar gyfer ei gyfrol *Moduro Gwynedd* (isod) gyhoeddwyd gan Y Lolfa. Ar y pryd roedd Owen yn weinidog poblogaidd ac yn awdur – ond roedd o'n cadw cyfrinach dywyll rhag y byd.

Chwith: Mandy Power.
Canol: Katie ac Emily Power.
Gwaelod: Doris Dawson, mam Mandy. (Lluniau gan PA, Press Association)

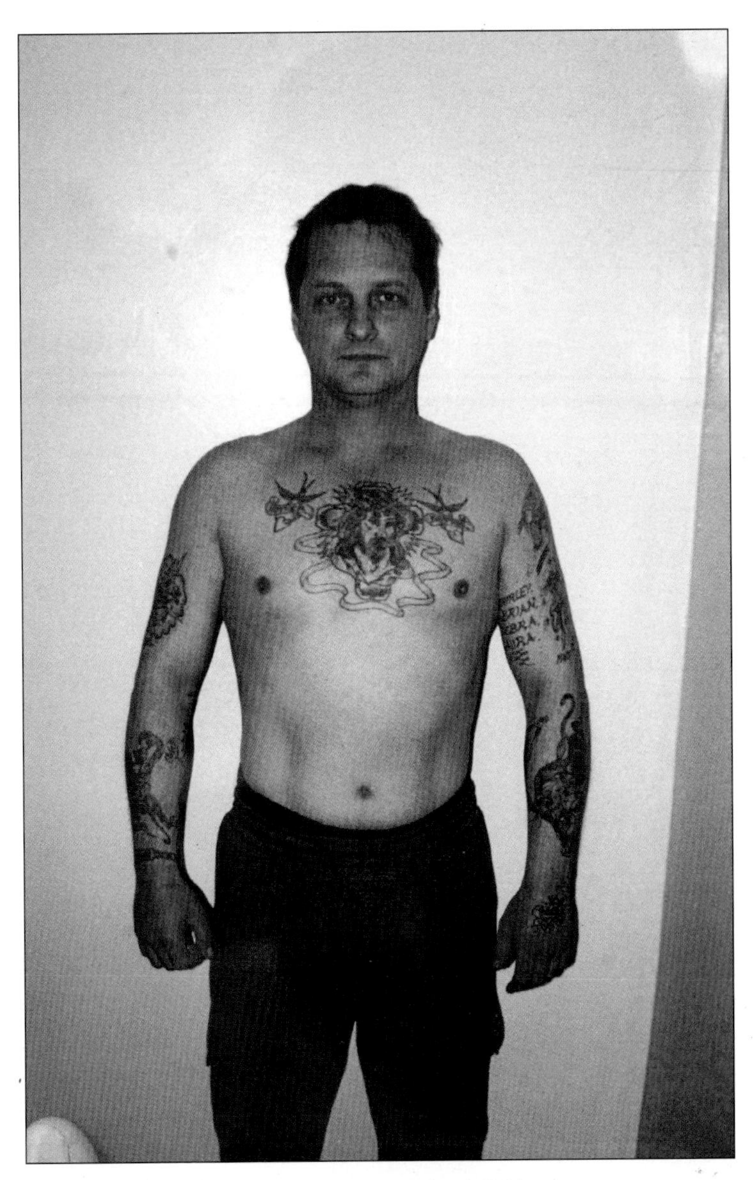

David Morris. (Llun: PA)

Wedi ei ddal: Peter Moore. (Llun gan y *Daily Post*)

Wyneb dieflig Peter Moore yn gwenu ar y camera wrth gael ei dywys o'r llys. Roedd un gohebydd yn dweud bod y llofrudd hwn wrth ei fodd â'r sylw oedd yn ei gael yn ystod ei achos llys. (Llun gan y *Daily Post*)

Sinema'r Focus yng Nghaergybi, a oedd yn eiddo i Peter Moore. (Llun gan y *Daily Post*)

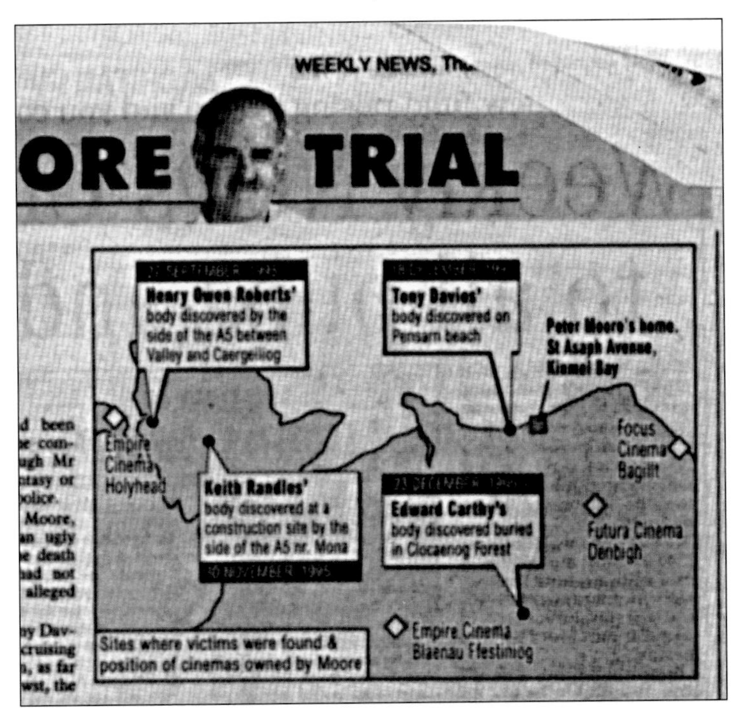

Map yn y *Weekly News* yn dangos lle darganfuwyd cyrff y dynion a laddwyd gan Peter Moore.

Lynette White. (Llun gan y *Western Mail and South Wales Echo Ltd.*)

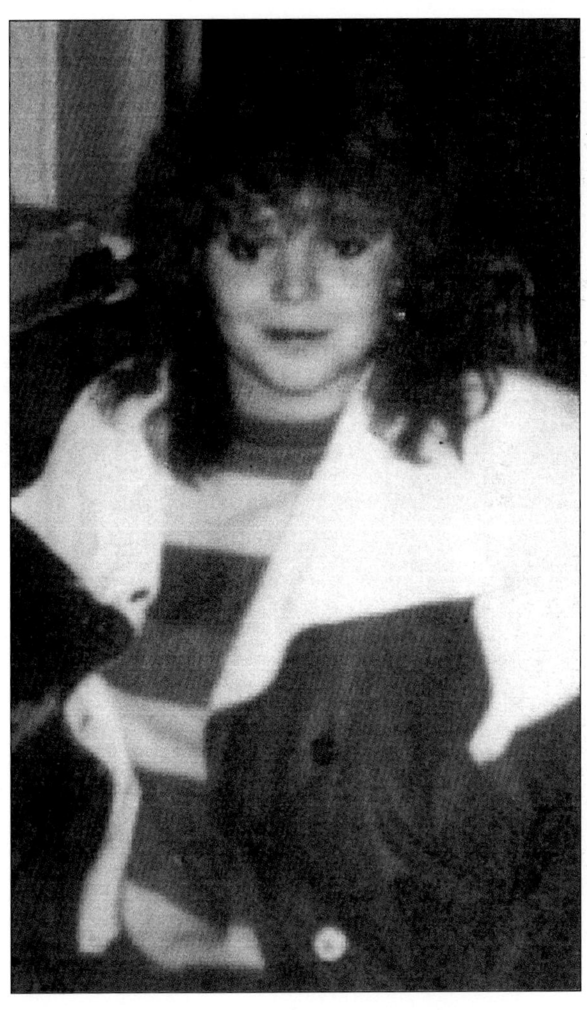

Lynette White. (Llun gan y *Western Mail and South Wales Echo Ltd.*)

Yusef Abdullahi (chwith) a Tony Paris yn dathlu cael eu rhyddhau gan y Llys Apêl wedi iddynt gael eu carcharu ar gam am lofruddio Lynette White. (Llun gan y *Western Mail and South Wales Echo Ltd.*)

Mr Abdullahi eto (chwith), y tro hwn gyda Steve Miller, a oedd hefyd wedi ei ddedfrydu ar gam o ladd Miss White. (Llun gan y *Western Mail and South Wales Echo Ltd.*)

Dau lun o Jeffrey Gafoor, un yn ei lifrau gwaith fel Swyddog Diogelwch. (Lluniau gan y *Western Mail and South Wales Echo Ltd.*)

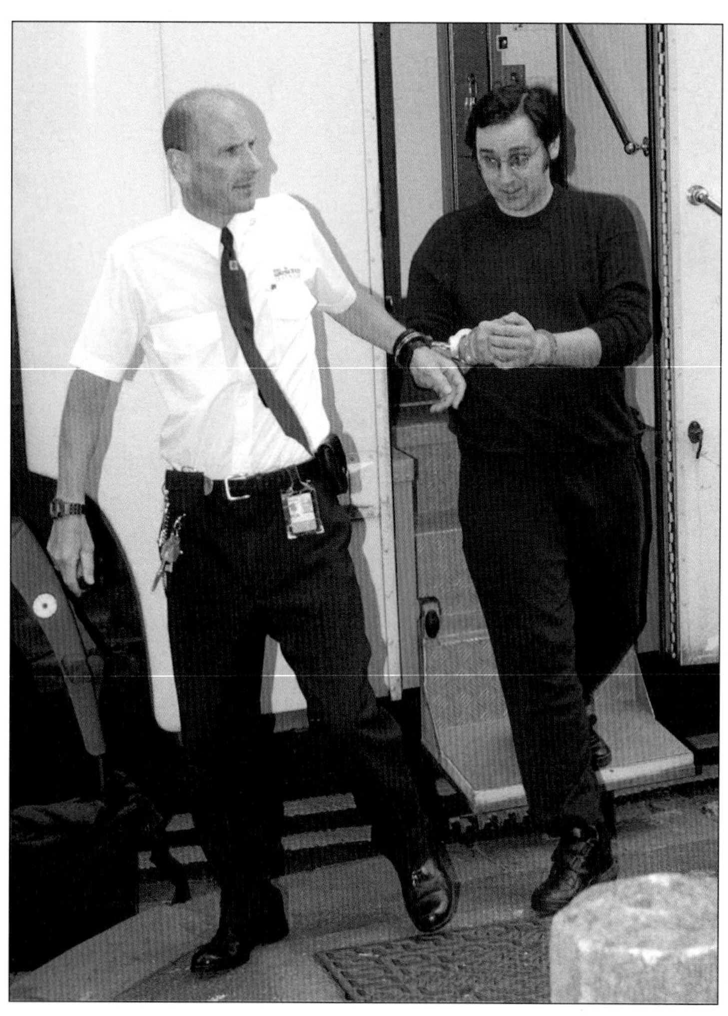

Wedi ei ddal o'r diwedd: Gafoor, llofrudd Lynette White, ar ei ffordd i'r llys, 15 mlynedd ar ôl marwolaeth Lynette, a dros ddegawd wedi i'r tri gŵr gafodd eu beio ar gam gael eu rhyddhau. (Llun gan y *Western Mail and South Wales Echo Ltd.*)

esbonio sut roedd DNA Alison ar gorff Mandy, meddai'r erlynydd, Patrick Harrington QC. Ond doedd dim sail i gredu mai Alison Lewis a Stephen Lewis – ei chyn-ŵr, erbyn hyn – oedd yn gyfrifol am y llofruddiaethau.

Un llofrudd oedd: David Morris.

Ar ddiwrnod y llofruddiaethau roedd Morris wedi gadael y New Inn mewn tymer ffyrnig. Bu'n yfed yn drwm yno, ac roedd wedi cymryd y cyffur 'speed'. Cerddodd i gartref Mandy Power. Mynnodd gael rhyw gyda hi, ond gwrthododd Mandy. Roedd Morris yn gandryll ac fe ymosododd arni. Credir i Katie, a oedd yn ddeg oed, geisio amddiffyn ei mam drwy ymosod ar Morris â'r bar haearn. Cydiodd Morris yn y bar a'i ddefnyddio i guro Mandy i farwolaeth. Yna, anelodd ei lid i gyfeiriad Katie, ei chwaer Emily, a'u nain, Doris Dawson a oedd yn gorwedd yn ei gwely. Lladdodd Morris nhw, ac yna rhoddodd y tŷ ar dân.

Ar 28 Mehefin 2002 – tair blynedd wedi'r llofruddiaethau – fe gafwyd David Morris yn euog gan y rheithgor. Cafodd bedair dedfryd oes.

* * *

Ni synnwyd pentrefwyr Clydach gan ddedfryd y llys. Roedden nhw wedi casglu dogfen ar David Morris a alwyd ganddynt yn 'Dai'r Llofrudd'. Amlinellai'r ddogfen ugain ffactor a awgrymai mai Morris oedd yn gyfrifol. Cyflwynwyd y ddogfen i'r heddlu ddwy flynedd cyn ei arestio.

"Roedd ar bawb ofn Morris," meddai'r cynghorydd Ioan Richard wrth bapur newydd y *Sun*. "Roedd ganddo uffern o enw drwg. Roedden ni'n gwybod amdano fel seico ac roedd yr heddlu'n ymwybodol o hyn."

Wrth gwrs, roedd teulu Morris yn taeru ei fod yn ddieuog a dywedodd ei chwaer, Debra, eu bod nhw'n bwriadu apelio yn erbyn y rheithfarn.

Ond roedd teulu Mandy Power yn gobeithio bod yr achos wedi dod i ben. Dywedodd ei brawd, Robert Dawson, wrth y wasg, "Heddiw rydan ni'n gwybod y bydd y person dieflig sy'n gyfrifol yn treulio gweddill ei oes yn y carchar." Yn anffodus, byddai'n rhaid i Mr Dawson a gweddill y teulu aros pedair blynedd arall cyn i hynny gael ei gadarnhau.

* * *

Lansiwyd ymgyrch i geisio sicrhau rhyddid Morris. Crwydrodd ei gefnogwyr o gwmpas tafarndai Clydach yn chwilio am gefnogaeth, yn ôl rhai honiadau. Ond bu'n rhaid iddynt adael y pentref – doedd fawr o groeso yno i'w gefnogwyr. Gwadodd yr ymgyrchwyr iddynt fentro i Glydach ond doedd dim amheuaeth eu bod yn brwydro ar ran y llofrudd. Pastiwyd posteri 'Morris Is Innocent' o gwmpas yr ardal, a bu trafodaethau gyda chyfreithwyr ynglŷn ag apêl. Ym mis Rhagfyr 2002, cyhoeddodd teulu Morris fod tystiolaeth wedi dod i law a fyddai'n arwain at wrandawiad yn y Llys Apêl.

Ymron i ddwy flynedd yn ddiweddarach, yn Hydref 2004, cafodd Morris ganiatâd gan y Llys i apelio yn erbyn y rheithfarn. Cafodd yr hawl i apelio ar ddwy sail: bod ei achos wedi bod yn annheg, a bod y ddedfryd yn 'anniogel'. Rhai misoedd yn ddiweddarach, ym Mawrth 2005, cytunodd y Llys Apêl fod dwy sail arall i Morris apelio: ni ddatgelwyd tapiau oedd wedi eu recordio'n gudd yn ystod yr ymchwiliad i'r llofruddiaethau, ac roedd yna 'dystiolaeth newydd' ynglŷn â honiadau a wnaethpwyd gan Stephen a Stuart Lewis.

O fewn mis roedd Morris yn Llys y Goron Caerdydd yn gwrando ar ei apêl.

* * *

Dadleuodd Michael Mansfield QC, ar ran Morris, fod cyfreithiwr a oedd yn rhan o dîm amddiffyn y llofrudd wedi 'tanseilio'n ddiarwybod' y modd y bu i fargyfreithiwr Morris, Peter Rouch, baratoi ac arwain ei amddiffyniad yn y llys. Roedd y cyfreithiwr, David Hutchinson, wedi cynrychioli Morris ond roedd hefyd wedi cynrychioli Stephen a Stuart Lewis ar ôl iddyn nhw gael eu harestio. Honnodd Mr Mansfield fod tapiau cyfrinachol o alwadau ffôn rhwng Mr Hutchinson a'r efeilliaid Lewis yn dangos bod gwrthdaro rhyngddyn nhw. Recordiwyd Mr Hutchinson yn Awst 2000 yn awgrymu ei fod yn credu mai Morris oedd y llofrudd a bod y brodyr Lewis yn ddieuog. Dywedodd Mr Mansfield fod hyn yn dangos ffafriaeth. Roedd Mr Hutchinson wedi codi'r mater gyda Mr Rouch. Roedd hefyd wedi ysgrifennu at Gymdeithas y Gyfraith, sy'n cynrychioli cyfreithwyr. Honnai Mr Mansfield fod y gwrthdaro wedi atal Mr Rouch rhag gwneud cyhuddiadau uniongyrchol yn erbyn Stephen a Stuart Lewis yn y llys.

Dywedodd y bargyfreithiwr Patrick Harrington, a oedd yn cynrychioli'r Goron, fod y dystiolaeth yn erbyn Morris yn gryf. Ond derbyniodd y byddai'n ddoeth petai Mr Hutchinson heb fod yn rhan o'r achos. O ran hynny, doedd hynny ddim yr un fath â dweud bod y ddedfryd yn "anniogel", meddai. Dywedodd fod yr efeilliaid Lewis bellach yn ôl yn eu swyddi gyda Heddlu De Cymru. Gwadodd Mr Hutchinson fod gwrthdaro buddiannau, ond penderfynodd Llys yr Apêl na chafodd Morris achos teg. Dileuwyd y ddedfryd yn ei erbyn a gorchmynnodd y llys y dylai Morris sefyll ei brawf eilwaith.

Byddai teulu a chyfeillion Mandy Power yn wynebu dioddefaint pellach.

* * *

Dechreuodd yr ail achos yn Llys y Goron Casnewydd

ym mis Mai 2006. Unwaith eto bu'n rhaid i Alison Lewis ymddangos fel tyst, a gorfodwyd iddi, drachefn, ei hamddiffyn ei hun. Gofynnodd bargyfreithiwr Morris, Gareth Rees, iddi ai hi a aeth draw i gartref Mandy Power ar 26 Mehefin 1999 a lladd Mandy Power a'i theulu.

"Na, yn bendant ddim," meddai'n ddagreuol. "Byddwn i wedi rhoi 'mywyd i'w hamddiffyn nhw. Fyddwn i byth wedi anafu Mandy, Doris na'r plant a dyna'r gwir."

Dywedodd ei bod wedi cael llond bol ar gael ei beio am y llofruddiaethau ac roedd hynny'n ei phoenydio o hyd: byddai'n cerdded i mewn i stafell, meddai wrth y llys, a chlywed pobl yn sibrwd, "Dyna'r ferch a gafodd ei harestio am y llofruddiaethau". Am yr eilwaith bu'n rhaid i Alison Lewis ddioddef yr artaith o gael ei chyhuddo mewn llys barn o ladd ei chariad, er nad hi oedd ar brawf. Hefyd, bu'n rhaid iddi wrando wrth i'w bywyd preifat gael ei larpio, a phob manylyn yn cael ei gyhoeddi yn y wasg.

Ond, unwaith eto, profwyd mewn llys barn fod yr achos yn erbyn David Morris yn achos cadarn. Fe'i cafwyd yn euog, am yr eilwaith, o lofruddio Mandy, Katie ac Emily Power a Doris Dawson.

Ar ôl yr achos, dywedodd Patrick Harrington, yr erlynydd yn y ddau brawf, fod Morris yn 'un o'r bobl beryclaf yn y Deyrnas Unedig'.

"Rydyn ni'n credu ei fod yn unigolyn dychrynllyd,"

meddai Mr Harrington wrth BBC Wales yn y rhaglen, *The Clydach QC*, a ddarlledwyd fis Awst 2006.

Unwaith eto, roedd trigolion Clydach yn falch o weld cefn Morris. Dywedodd Sylvia Lewis, cynghorydd a oedd yn adnabod Mandy a'i theulu, fod David Morris yn beryglus ac yn ddyn a oedd yn codi ofn ar y gymuned gyfan, meddai wrth y BBC.

"Roedd yn berson ffyrnig a chreulon. Gallai ffrwydro mewn chwinciad. Roedd pobl ei ofn am eu bywydau," meddai'r cynghorydd. "Dwi'n credu y bydd henoed Craigcefnparc yn cysgu'n dawelach o hyn ymlaen."

Drwy gydol y ddau achos llys bu'n rhaid i deulu Mandy wrando wrth i'w henw gael ei dynnu drwy'r baw. "Y peth anoddaf oedd methu cael sefyll ar ein traed i'w hamddiffyn hi," meddai'r teulu mewn datganiad ar ôl yr ail achos yn 2006. Eu hunig gysur, meddent, oedd gwybod bod pawb a oedd yn gyfarwydd â Mandy yn ei hadnabod fel rhywun rhadlon, haelionus a chariadus. Roedd pawb oedd wedi eistedd yn y llys yn gwybod bod Morris yn fwystfil dieflig oedd wedi llofruddio'u teulu, meddent.

Yn wir, o fewn misoedd datgelwyd bod brwtaliaeth Morris wedi ei gydnabod gan yr awdurdodau. Canfu papur *The Times* fod 35 o lofruddion wedi cael dedfryd 'gweddill oes' yn ôl y Swyddfa Gartref – byddai'r troseddwyr hyn yn marw yn y carchar. Yn eu mysg roedd Ian Brady, llofrudd y Moors, Denis Nilsen, a

John Childs, a laddodd chwech o bobl yn y 1970au gan eu datgymalu â llif a morthwyl pren ac yna llosgi eu cyrff. Roedd Peter Moore, y llofrudd o Ogledd Cymru, un o destunau'r llyfr hwn, ar y rhestr hefyd, yn ogystal â David Morris.

Ceisiodd Morris apelio eto yn erbyn y ddedfryd. Ond fis Gorffennaf 2007 gwrthododd tri barnwr yn y Llys Apêl roi'r hawl iddo apelio. Ond, er hyn, fe wnaeth y Llys ddileu'r ddedfryd 'gweddill oes' a gorchymyn i Morris dreulio 32 mlynedd yn y carchar cyn y câi'r hawl i wneud cais am barôl.

Mae'r achos yma wedi creithio cymuned, wedi profi'n hunllef i deulu Mandy Power, ac i Alison Lewis a'i theulu hithau. Dyw Morris ddim wedi derbyn unrhyw gyfrifoldeb am y troseddau ac mae o'n dal i wadu mai ef sy'n gyfrifol. Mae ei gefnogwyr yn dal i honni ei fod wedi ei garcharu ar gam, ac yn debygol o barhau â'r frwydr i sicrhau apêl newydd iddo. Ond mae Clydach a'r cylch yn falch o weld cefn y bwystfil, ac fel y dywed teulu Mandy Power, "Mae dwy ddedfryd euog yn dweud y cyfan."

ACHOS 4: PETER MOORE
Y DYN MEWN DU

ROEDD Robert Gavin wedi cael profiadau erchyll wrth wasanaethu gyda'r Ffiwsilwyr Cymreig a'r Black Watch yn ystod yr Ail Ryfel Byd. Ond fis Hydref 1985, digwyddodd rhywbeth iddo nad oedd blynyddoedd yn y lluoedd arfog wedi ei baratoi ar ei gyfer.

Roedd Mr Gavin, a oedd yn ei chwedegau ac yn ddigartref, wedi bod yn ymweld â ffrindiau yn ardal Penmaenmawr. Cerddodd i gyfeiriad Conwy – taith o ryw bedair milltir. Ond pan gyrhaeddodd hen dafarn y Ship ar y Morfa, ar gyrion tref Conwy, dechreuodd fwrw glaw. Aeth i gysgodi mewn garej ac aros i'r gawod leddfu.

"Roedd hi'n dywyll," meddai Mr Gavin un ar ddeg mlynedd yn ddiweddarach wrth y *Weekly News*. "A doedd neb yno ond fi."

Wedi aros yn ei loches am gyfnod, clywodd Mr Gavin sŵn car yn agosáu. Mentrodd o'r garej i fynd i siarad â'r gyrrwr. Ond camodd ffigwr tuag ato o'r tywyllwch a chyn i'r hen filwr gael y cyfle i'w amddiffyn ei hun, roedd y dieithryn yn ei guro'n ddidrugaredd â baton.

"Dechreuodd fy nharo i, a dyna ni – roeddwn i'n anymwybodol am oddeutu hanner awr," meddai Mr Gavin, a oedd yn byw mewn cartref i'r henoed yn Llandudno pan gafodd ei gyfweld gan y papur yn 1996.

Pan ddaeth ato'i hun, roedd ei ymosodwr wedi diflannu. "Roeddwn i'n lwcus," meddai Mr Gavin. Credai y byddai wedi cael ei ladd oni bai fod rhywun wedi tarfu ar yr ymosodwr.

Daethpwyd o hyd i Mr Gavin mewn 'cyflwr uffernol', meddai, ac fe aethpwyd ag o i'r ysbyty yn Llandudno am driniaeth. Dangosodd yr heddlu luniau iddo o'r garej lle bu'r ymosodiad. Roedd y waliau wedi eu gorchuddio â gwaed, meddai Mr Gavin wrth y *Weekly News*.

Flwyddyn yn ddiweddarach, yn Nhachwedd 1986, roedd Huw Griffith wedi bod am beint yng Nghonwy. Gweithiai fel gyrrwr wagen-fforch-godi gyda chwmni cynhyrchu alwminiwm yn Nolgarrog, yn Nyffryn Conwy. Roedd Mr Griffith, a oedd yn ei bumdegau, yn byw yn Nolgarrog ac, ar ôl treulio cyfnod mewn tafarn yng Nghonwy y noson honno, fe gafodd lifft i gyfeiriad Dyffryn Conwy gan gyfaill. Neidiodd o'r car a dweud nos da wrth ei gyfaill yng Nghaerhun, rhyw ddwy filltir o'i gartref. Yna, dechreuodd gerdded i gyfeiriad Dolgarrog.

“Cefais ergyd ar gefn fy mhen,” meddai Mr Griffith mewn cyfweliad ddeng mlynedd yn ddiweddarach.

Pan ddaeth ato’i hun wedi’r ymosodiad, fe ganfuwyd na fu Mr Griffith mor ffodus â Mr Gavin, a oedd wedi gwella o’i anafiadau. Roedd Mr Griffith wedi’i barlysu o’i wddf i lawr ac roedd yr ergyd wedi effeithio ar ei allu i gyfathrebu. O fod yn ddyn iach, llawn bywyd, roedd o bellach yn anabl ac o dan law arbenigwyr. Trigai mewn cartref preswyl ar gyrion Bae Colwyn pan sgwrsiodd â’r wasg ynglŷn â’r ymosodiad ddeng mlynedd wedi’r digwyddiad ac roedd yn rhaid iddo gael cymorth gofalwyr i gyfathrebu.

Ond pwy oedd wedi ymosod arno ef a Robert Gavin?

Dros gyfnod o 14 mis, rhwng 1985 ac 1986, ymosodwyd ar chwech o ddynion yn ardal Dyffryn Conwy. Dechreuodd yr ymosodiadau ym mis Medi 1985 pan gafodd ffermwr o’r enw John Higgins ergyd ar ei ben â bar haearn pan oedd yn cerdded ar hyd yr A5 ger Betws-y-Coed.

Mr Gavin oedd yr ail i gael ei guro’n anymwybodol gan yr ymosodwr. Fis Mawrth 1986, fe ymosodwyd ar lanhawr yng Nglan Conwy, pan ergydiwyd o oddi ar ei feic, ei lusgo ar draws y lôn, a’i guro’n ddidrugaredd â phastwn. Treuliodd bedair noson yn yr ysbyty.

Ddeufis yn ddiweddarach, ymosodwyd ar Bob Owen, adeiladwr o bentref Tŷ’n y Groes yn Nyffryn Conwy.

Neidiodd oddi ar y bws yn y pentref am 10.45 p.m. ar ôl treulio'r diwrnod yn Llandudno. Sylwodd fod car wedi ei barcio i lawr lôn gul cyn i rywun ei golbio ar gefn ei ben. Brwydrodd gyda'r ymosodwr, a oedd yn ceisio'i drywanu â chyllell. Bu'n rhaid i Mr Owen gael 50 pwyth yn ei ben wedi'r ymosodiad.

Y pumed dyn i ddioddef oedd Edward Barros, a oedd ar ei wyliau yn yr ardal. Ymosodwyd arno ger Tŷ'n y Groes fis Awst 1986. "Roeddwn i'n meddwl 'mod i'n marw," meddai ar y pryd.

Dri mis yn ddiweddarach, parlyswyd Huw Griffith yn yr ymosodiad olaf.

Ond wrth i'r heddlu ymchwilio, cysylltwyd yr ymosodiadau hyn â'r ymosodiadau eraill – yn y Dyffryn, a thu hwnt – a oedd yn rhychwantu cyfnod o ddeng mlynedd, ac yn ymestyn yn ôl hyd at ddiwedd y 1970au.

Roedd 40 o heddweision ar drywydd ymosodwr Mr Gavin, Mr Griffith, Mr Higgins, a'r tri dioddefwr arall yn y Dyffryn. Ond bu'n rhaid aros ymron i ddegawd cyn i'r drwgweithredwr gael ei ddal. A phan ddatgelwyd y gwir, brawychwyd nid yn unig Dyffryn Conwy, ond y wlad gyfan. Roedd cyfaddefiad Mr Gavin iddo fod yn ddyn lwcus wedi taro'r hoelen ar ei phen gan fod ei ymosodwr wedi mynd ati'n fwriadol, dros y blynyddoedd a ddilynodd, i ladd.

*   *   *

Darganfuwyd corff Henry Roberts yn yr iard y tu allan i'w gartref ger Caergeiliog, Sir Fôn, ar 27 Medi 1995. Roedd o'n hen lanc 56 oed, yn byw ar ei ben ei hun ym Mhen Cledog, fferm wedi ei lleoli rhwng y Fali a Chaergeiliog ar yr A5. Roedd cyflwr y tŷ'n wael, ond doedd Mr Roberts ddim yn brin o arian. Unig blentyn ydoedd, a phan fu farw ei fam yn 1986, gadawyd y tŷ a'r rhandaliadau i'r mab. Gweithiai Mr Roberts i Reilffyrdd Prydain yng Nghaergybi, ond fe roddodd y gorau i'r swydd yn 1991, ac ni thrafferthodd chwilio am waith wedi hynny.

Doedd ganddo fawr o ffrindiau ac roedd sôn ei fod yn hoyw. Roedd ganddo ddiddordeb mewn paraffernalia Natsïaidd ac roedd ganddo sawl eitem ym Mhen Cledog. Roedd hefyd yn ddefnyddiwr radio CB ac fe'i hadwaenid dan y ffugenw 'Ratcatcher'. Byddai'n mynd i dafarn y Sportsmans yng Nghaergeiliog, ac i dŷ bwyta'r Crown yng Nghaergybi. Ond, ar wahân i hynny, ni fyddai'n cymysgu gyda fawr neb.

Ar noson 25 Medi, gadawodd Mr Roberts y Crown am 6.30 p.m. ac yna fe aeth i siop bapur newydd Chadwick's i brynu tocyn Loteri. Yna, ymlwybrodd Mr Roberts am adre – lle cafodd ei drywanu drwy'i galon.

Ddwy noson yn ddiweddarach, tarodd Thomas Wright i mewn i'r Sportsmans cyn mynd i'r Fali. Yn rhyfedd iawn, doedd Mr Roberts ddim wedi ymweld â'r dafarn, ac roedd y cwsmeriaid a'r tafarnwr yn pryderu. Dywedodd Mr Wright y gwnâi alw i mewn ym Mhen Cledog, a oedd rhyw hanner milltir o'r dafarn.

Daeth o hyd i gorff Mr Roberts yn gorwedd ar ei wyneb yn yr iard. Roedd yna anafiadau trywanu difrifol dros ei gorff i gyd. Cafodd Mr Wright fraw a dechreuodd grio. Brysiodd yn ôl i'r dafarn i ddweud wrthynt am ei ddarganfyddiadau a ffoniwyd yr heddlu. Dywedodd Mr Wright wrth yr *Holyhead Mail*, "Er ei fod (Mr Roberts) yn ddyn unig, mi fyddai'n sgwrsio gyda'r hogiau yn y dafarn ac mi fydd hi'n rhyfedd iawn yno hebddo fo."

Ysgytiwyd y gymuned leol gan lofruddiaeth Mr Roberts. Roedd Mary Griffiths, postfeistres Caergeiliog, yn gyfarwydd â Mr Roberts, ac roedd hi wedi cael ei dychryn gan y newyddion erchyll. Allai hi ddim credu y byddai'r ffasiwn beth yn digwydd mewn pentref tawel fel Caergeiliog, meddai.

"Rydych chi'n clywed am lofruddiaethau ar y newyddion, ond pan mae o'n digwydd yn eich pentre chi'ch hun, mae'n codi braw," meddai wrth yr *Holyhead Mail*.

Roedd 60 o heddweision yn ymchwilio i lofruddiaeth Mr Roberts, a'r flaenoriaeth oedd dod o hyd i'r gyllell a ddefnyddiwyd i'w drywanu. Daeth deifwyr o Heddlu Swydd Gaerhirfryn i archwilio afonydd cyfagos ac fe aeth yr heddlu lleol drwy'r caeau cyfagos â chrib mân.

Roedd yr heddlu'n amau mai lladrad wedi mynd o chwith oedd y llofruddiaeth. Daethant o hyd i symiau sylweddol o arian parod ym Mhen Cledog, ac roedd gan Mr Roberts ddigonedd o bres parod pan fyddai'n mynd i'r dafarn. Arferai dalu am ei ddiod cyntaf â phapur £5, £10, neu £20. Ond pan fyddai'n barod i brynu ail rownd, ni fyddai'n defnyddio'r newid mân – defnyddiai arian papur unwaith eto. Byddai nifer o bobl, felly, yn gwybod bod gan Mr Roberts ddigon o arian. Yn wir, roedd sawl cerbyd wedi cael eu gweld yng nghyffiniau Pen Cledog ddau ddiwrnod cyn i Mr Wright ddarganfod Mr Roberts yn farw.

Bron i dair wythnos wedi llofruddiaeth Mr Roberts, fe arestiwyd gŵr 21 oed. Cafwyd hyd iddo mewn tŷ ym Mhontypridd, ac fe aethpwyd ag o i Gaergybi er mwyn ei holi. Cafodd ei gadw yn y ddalfa am 71 awr, ond fe'i rhyddhawyd o heb gyhuddiad.

Roedd yr heddlu'n ceisio dod o hyd i'r cerbydau a welwyd gan dystion y tu allan i gartref Mr Roberts ac roedd ganddynt ddiddordeb arbennig mewn fan Transit oedd â'i thrwyn ar eiddo Mr Roberts.

Roedd trigolion Caergeiliog a Sir Fôn wedi eu brawychu a doedd pethau ddim yn debyg o wella wedi darganfyddiad erchyll arall ar yr ynys ar 30 Tachwedd, dros ddeufis ar ôl llofruddiaeth Mr Roberts.

* * *

Ystyrid yr hen lanc o Gaergeiliog yn greadur rhyfedd, ond doedd dim byd anghyffredin ynglŷn â Keith Randles. Roedd yn ŵr cymedrol, yn dad cydwybodol ac iddo enw da. Trigai yng Nghaer. Roedd o'n 49 oed ac wedi ymwahanu oddi wrth ei wraig. Roedd o'n daid i dri a byddai'n mynd i Ellesmere Port i weld ei wyrion yn gyson. Gweithiai fel swyddog gofal gyda TODSS, cwmni rheoli trafnidiaeth o Ellesmere Port. Roedd y cwmni'n gyfrifol am drafnidiaeth ar waith ffyrdd ger Mona ar yr A5, ac fel swyddog gofal traffig bu Mr Randles yn byw mewn carafán ar y safle am wyth wythnos. Siaradodd gyda'i ferch, Lisa Jones, ar y ffôn am 9 p.m. ar 29 Tachwedd, ac am tua 9.30 p.m. aeth i siop sglodion a physgod yn y Fali i brynu swper. Dychwelodd i'r garafán ac fe ymosodwyd arno.

Daeth cyd-weithwyr o hyd i gorff Mr Randles am 7.30 a.m. y bore canlynol. Roedd o wedi ei drywanu ddeuddeg o weithiau.

Sylweddolodd yr heddlu fod recordydd fideo, oriawr, a ffôn symudol ar goll, ac roeddent yn tybio mai lladrad oedd bwriad y llofrudd. Roedd dyn a oedd yn gyrru o'i waith yng Nghaergybi am 2.45 a.m. wedi sylwi ar fan Ford Transit wrth ymyl y gwaith ffordd lle roedd Mr Randles yn byw.

Unwaith eto, roedd y trigolion lleol wedi eu brawychu. Dywedodd Geraint Williams, tafarnwr Tafarn y Rhos,

Rhostrehwfa, ger Llangefni, fod Mr Randles yn gwsmer cyson yno.

"Mi fyddai'n dod i mewn yn reit aml i gael peint neu damaid i fwyta, ac roedd o'n ddyn dymunol iawn oedd yn mwynhau sgwrs gyda phawb," meddai wrth yr *Holyhead Mail.* Dywedodd Maureen Bastabel, o'r siop leol ym Modffordd, lle deuai Mr Randles i brynu nwyddau, fod y digwyddiad wedi dychryn y gymuned.

"Rydyn ni i gyd yn pryderu am ein diogelwch," meddai wrth y wasg leol.

* * *

Bron i dair wythnos wedi llofruddiaeth Keith Randles ar Ynys Môn, roedd Anthony Davies o Lysfaen, ger Bae Colwyn, yn ffarwelio â'i wraig. Bwriadai fynd draw i Abergele i ymweld â'i fodryb, Anne Evans, a oedd wedi torri ei throed a'i phenelin yn gynharach yn y dydd. Roedd Mr Davies, a oedd yn gweithio mewn amlosgfa ym Mae Colwyn, wedi treulio'r diwrnod hwnnw – dydd Sul, 17 Rhagfyr – gyda'i deulu, a bu'n trafod trefniadau'r Nadolig gyda'i frodyr a'i chwiorydd. Cusanodd ei wraig Sheila a dywedodd hi wrtho am gymryd gofal.

"Fydda i ddim yn hir," meddai wrth ei wraig.

Neidiodd i'w Ford Escort glas ac i ffwrdd ag o am Abergele. Treuliodd rhyw awr gyda'i fodryb cyn ymadael am adre am hanner awr wedi hanner nos.

Ond wnaeth Mr Davies ddim cyrraedd, ac am 4.30 a.m., gadawodd Sheila Davies i weddill y teulu wybod nad oedd ei gŵr wedi dychwelyd. Wedi chwilio'r ardal, penderfynwyd cysylltu â'r heddlu.

Am 6.30 a.m. y bore canlynol darganfuwyd ei gorff ar draeth Pensarn, llai na milltir o Abergele. Roedd wedi ei drywanu. Roedd ei gar wedi'i barcio yn y maes parcio. Adwaenir y traeth fel man cyfarfod i hoywon, ond doedd yna ddim tystiolaeth fod Anthony Davies yn hoyw.

Yn sgil llofruddiaeth Mr Davies; derbyniodd yr heddlu alwad ffôn ddienw gan ddyn hoyw. Honnodd iddo gael ei bigo i fyny gan ddyn ar draeth Pensarn a'i fod wedi cael ei yrru i dŷ ym Mae Cinmel, ger y Rhyl, rhyw dair milltir i ffwrdd. Wedi cyrraedd, dywedodd y dyn dienw wrth yr heddlu fod y dieithryn wedi ei gam-drin. Roedd yr heddlu, hefyd, wedi llwyddo i ddod o hyd i fan a oedd yn gysylltiedig â'r llofruddiaethau. Cwmni hurio o Ddinbych oedd perchennog y fan ac roedd wedi cael ei llogi gan ddyn o Fae Cinmel.

Ei enw oedd Peter Moore.

* * *

Ganed Peter Moore ar 19 Medi 1946 yn St Helens, Swydd Gaerhirfryn, unig fab Edith ac Ernest. Pan oedd yn chwech oed, symudodd ei rieni i Fae Cinmel lle y cymeron nhw awenau'r Neuadd Farsiandïaeth a'r siop nwyddau haearn.

Addysgwyd Moore yn Ysgol Gynradd Towyn ac Ysgol Uwchradd Fodern Dinorben yn Abergele. Câi ei ystyried yn fachgen hawddgar a oedd yn ymddwyn yn dda. Yn y cyfamser, roedd y Neuadd Farsiandïaeth yn ganolbwynt i weithgareddau cymunedol – roedd llyfrgell yno, clinig babanod, man chwarae plant, a stafell i gynnal dawnsfeydd a phartïon priodas.

Bu farw Ernest Moore yn 1981, a daeth ei fab yn gyfrifol am y siop nwyddau gan ddechrau gwerthu nwy yno, ac yna penderfynodd droi'r adeilad yn siop fideo. Cynhelid arwerthiannau cist car yn y Neuadd Farsiandïaeth ac yn ddiweddarach dechreuodd y teulu logi'r adeilad i'w ddefnyddio fel siop garpedi, siop deils ac ystafell ocsiwn. Yn 1990, penderfynodd Peter Moore fynd ati i wireddu ei freuddwyd ac fe agorodd ei sinema gyntaf ym mhentref Bagillt. Yna fe agorodd sinema'r Focus Empire yng Nghaergybi, ac achubodd y Futura yn Ninbych.

Ond yn 1994, cafodd ergyd. Bu farw ei fam, Edith, yn 80 oed. Dywed rhai a oedd yn ei adnabod fod hyn wedi newid Moore.

"Roedd Peter yn ddyn swil," meddai Howard Wiseman, dyn busnes o'r Rhyl, wrth y wasg yn 1996. "Doedd o ddim yn siaradus iawn. Mae'n rhaid dweud ei fod yn gwrtais i'r cwsmeriaid, ond roedd o'n ddyn anodd iawn i'w adnabod."

Er hyn, dywedodd Mr Wiseman fod Moore wedi mynd i'w gragen yn fwy fyth ar ôl marwolaeth ei fam.

Rhyw flwyddyn yn ddiweddarach, ar 19 Medi 1995 – diwrnod ei ben-blwydd yn 49 oed – tarodd Moore i mewn i siop arfau Reg Gizzi yn y Rhyl. Roedd Moore yn gwsmer cyson yn Fieldsports Equipe, meddai Mr Gizzi, a thros y blynyddoedd roedd o wedi prynu tortsh fawr a phastwn plismon hen ffasiwn. Ond y diwrnod hwnnw prynodd Moore gyllell am £25. Dywedodd Mr Gizzi, cyn-bencampwr bocsio amatur, ei fod wedi gwerthu sawl cyllell debyg.

"Cyllell 'Fairburn Sykes Commando' o'r Ail Ryfel Byd oedd hi, ac mae hi'n adnabyddus i gasglwyr," meddai. Dywedodd fod casglu cyllyll o'r fath yn 'gwbl ddiniwed a diddorol' a bod y llafnau'n 'bethau tlws yn eu ffordd eu hunain'.

"Mae gan nifer o bobl ddiddordeb ynddynt," meddai wrth y *Weekly News*, "ac ni welais fod unrhyw gymhelliad cudd pan werthais y gyllell iddo."

Yn y cyfamser, roedd ymgyrch Moore i achub a chynnal sinemâu wedi dod ag ef i sylw'r wasg. Yn wir, roedd o'n mwynhau cyhoeddusrwydd ac yn barod iawn i fod o gymorth i ohebwyr lleol a oedd yn sgrifennu am ei fenter. Does dim dwywaith iddo wneud cryn argraff ar y newyddiadurwyr.

"Roedd Moore yn union fel roeddwn i wedi disgwyl,"

meddai Dave Jones, gohebydd gyda'r *Vale Advertiser*, papur lleol yn ardal Dinbych. Cafodd Mr Jones wahoddiad i'r Futura yn Ninbych gan y perchennog, Lewis Colwell, a oedd am i'r wasg lleol ddod i adnabod y dyn a oedd ar fin cymryd awenau'r sinema.

Mewn erthygl i'r *Weekly News* yn Rhagfyr 1996, dywedodd Mr Jones fod Moore "ychydig yn rhyfedd ei edrychiad, ond yn gyfeillgar. Roedd yr awyrgylch yn amheus ac mae'n rhaid i mi gyfaddef fy mod i wedi teimlo braidd yn annifyr. Pan siaradais â Moore am y sinema roedd o'n gyfrifol amdani yng Nghaergybi, fy nhref enedigol, dywedodd y byddai'n gallu cynnig lifft i mi rywbryd."

Ni dderbyniodd Mr Jones yn cynnig.

Cyfarfu Mary Garner â Moore ar 11 Rhagfyr 1995. Roedd Mrs Garner yn ohebydd hynod brofiadol ac uchel ei pharch, wedi gweithio gyda'r *Caernarfon & Denbigh Herald* ym Mhorthmadog am flynyddoedd. Cafodd hi, a ffotograffydd lleol, Nigel Hughes, wahoddiad gan Moore i fynd i hen sinema'r Empire ym Mlaenau Ffestiniog. Roedd y sinema'n ailagor ar 15 Rhagfyr ac roedd y wasg leol wedi cael gwahoddiad ymlaen llaw i fwrw golwg ar yr adeilad a chael gwybodaeth ynglŷn â'r cynlluniau.

"Roedd o'n gyfeillgar," meddai Mrs Garner mewn erthygl i bapurau'r *Herald* yn 1996, "ac yn frwdfrydig iawn, fel yr oedd o pan siaradais ag o ar y ffôn o'i gartref ym Mae Cinmel yng Ngorffennaf 1995 pan ddatgelwyd y cynllun am y tro cyntaf. Er hyn, roedd rhywbeth yn ei gylch a oedd yn gwneud i mi a Nigel Hughes deimlo'n anghyfforddus," meddai. "Roedd o'r math o berson oedd yn gwneud i chi deimlo y byddai'n well cadw hyd braich oddi wrtho. Fyddwn i ddim yn hapus i'w gyfarfod ar fy mhen fy hun."

Er i Moore wahodd y wasg i agoriad ei sinema newydd, bu'n rhaid atal y cynllun. Honnodd Moore fod problemau gyda'r taflunydd a chafodd hwnnw ei ddanfon i Birmingham i gael ei drwsio. Ond mewn gwirionedd roedd trafferthion Moore y tu hwnt i'r pethau technegol.

Fe'i harestiwyd o yn Abergele ar 21 Rhagfyr â chyllell yn ei feddiant.

* * *

O fewn ychydig ddyddiau, roedd Moore wedi cael ei gyhuddo o lofruddio Keith Randles, Anthony Davies ac Edward Carthy.

Darganfuwyd corff Mr Carthy yng nghoedwig Clocaenog, rhwng Rhuthun a Cherrigydrudion, ar 23 Rhagfyr. Roedd Moore wedi dweud wrth yr heddlu sut i ddod o hyd i'r corff ar ôl datgan nad oeddent wedi 'dod o hyd i'r nesaf, eto'.

Cyfarfu Mr Carthy a Moore yn Paco's Bar, man

cyfarfod i hoywon yn Lerpwl, ym mis Hydref 1996. Roedd Mr Carthy, o Benbedw, yn defnyddio cyffuriau ac yn alcoholig, ac fe'i disgrifiwyd fel 'ffigwr trist'.

Honnodd Moore i Mr Carthy, oedd yn 28 oed, ofyn am lifft adref o Lerpwl, ond yn hytrach na stopio ym Mhenbedw ar ôl mynd trwy Dwnnel Merswy, gyrrodd Moore yn ei flaen – er bod Mr Carthy wedi ceisio neidio o'r car ddwywaith.

Gyrrodd Moore yn ôl i Ogledd Cymru, trwy'r Wyddgrug a Rhuthun, tros Fynydd Hiraethog, heibio i Lyn Brenig ac i goedwig Clocaenog, lle trywanodd o Mr Carthy i farwolaeth.

Wrth i fanylion erchyll achos Peter Moore gydio yn y wasg a'r cyfryngau roedd gŵr arall yn wynebu cyhuddiad yn ei erbyn adeg Nadolig 1995. Cyhuddwyd Nigel Peter Owens, 28 oed, o Gaergybi, o lofruddio Henry Roberts ym Mhen Cledog, Caergeiliog, ym mis Medi 1995. Cadwyd y gyrrwr tacsi yn y ddalfa tan 16 Ionawr 1996, ac oddi yno byddai'n cael ei dywys i'r llys yng Nghaernarfon i wynebu'r achos yn ei erbyn.

Ond byddai tro yn y stori cyn i Mr Owens wynebu ei well.

* * *

Holwyd Moore gan yr heddlu. Cyfaddefodd iddo ymosod ar 39 o ddynion dros gyfnod o 20 mlynedd. Gweithiwr fferm meddw oedd y cyntaf. Ymosododd wedyn ar ddynion yn Llanelwy, Bae Cinmel, a Dyffryn Conwy. Honnodd fod ganddo gynorthwywr weithiau. Cyfaddefodd fod yr ymosodiadau wedi rhoi boddhad rhywiol iddo. Dywedodd wrth yr heddlu fod marwolaeth yn ei ddilyn.

"Wn i ddim beth oedd yn mynd trwy fy meddwl, ond rydw i wedi bod o dan andros o straen yn ddiweddar," meddai.

Honnodd fod y pwysau wedi cynyddu ar ôl i'w fam farw. Meddai wrth yr heddlu, "Roedd Mam a finnau'n ffrindiau gorau. Mi wnes i fy ngorau glas drosti ac rydw i'n ei cholli hi'n ofnadwy."

Dywedodd fod ei gi wedi marw, ac yna bu farw ci arall a oedd wedi ei gael yn lle'r un cyntaf. Roedd ganddo gath yn un o'i sinemâu, hefyd, a lladdwyd honno o dan olwynion car. Ac yna, lladdwyd ei bysgod Koi gan fellten. Roedd y marwolaethau hyn i gyd yn dweud arno, meddai. Honnodd iddo gael ei dwyllo gan filiwnyddion, bod ei staff yn dwyn oddi arno a bod y banc yn bygwth hawlio'i eiddo ym Mae Cinmel. Yn wir, fe wnaethpwyd honiad fisoedd yn ddiweddarach yn ystod achos Moore ei fod yn bwriadu lladd ei reolwr banc.

Darganfuwyd eiddo Keith Randles ac Anthony Davies yng nghartref Moore. Daeth yr heddlu o hyd i blac Natsïaidd a oedd yn eiddo i Henry Roberts yng nghartref Moore hefyd ac roedd tystiolaeth fforensig i'w gysylltu â'r hen lanc o Gaergeiliog. Hyd at hynny, nid oedd cysylltiad rhwng llofruddiaethau Keith Randles, Anthony Davies ac Edward Carthy, a llofruddiaeth Henry Roberts. Ond yn sgil tystiolaeth newydd, rhyddhawyd Nigel Peter Owens o'r ddalfa a gollyngwyd y cyhuddiad yn ei erbyn.

Cyhuddwyd Peter Moore o lofruddio Henry Roberts.

* * *

Yn Chwefror 1996, yn ystod ei gyfweliad olaf gyda'r heddlu, honnodd Moore fod ganddo gynorthwywr pan laddwyd Mr Roberts, Mr Randles, Mr Davies a Mr Carthy, ac fe aeth mor bell â dweud mai'r dyn dirgel hwnnw, ac nid ef ei hun, oedd yn gyfrifol am y llofruddiaethau.

Ar 13 Chwefror, gofynnodd y Ditectif Gwnstabl David Morris – a oedd wedi cynnal y rhan fwyaf o'r cyfweliadau gyda Moore – i'r dyn busnes o Fae Cinmel a oedd ganddo unrhyw beth arall i'w ychwanegu. Credai DC Morris mai dyma'r tro olaf y byddai'n croesholi Moore ynglŷn â'r troseddau. Ond syfrdanwyd y ditectif gan ateb Moore:

"Ydach chi wedi dod o hyd i bwy oedd gyda mi ar y traeth ym Mhensarn pan lofruddiwyd Mr Davies?" meddai wrth DC Morris.

Wedi ei synnu, atgoffodd y ditectif ef ei fod wedi

cyfaddef mewn cyfweliadau cynharach ei fod ar ei ben ei hun ar y traeth. Ac felly dyma DC Morris yn gofyn iddo pwy oedd gydag o ym Mhensarn.

Dywedodd Moore, "Mi fyddwn i'n hoffi dweud, ond os nad ydach chi wedi darganfod pwy, mi wnawn ni adael pethau fel y maen nhw."

Yna honnodd fod rhywun gydag o pan laddwyd Henry Roberts, hefyd; ac fe ddywedodd fod yr eitemau a oedd ar goll o garafán Keith Randles bellach gan yr unigolyn a oedd yn gwmni iddo pan laddwyd y swyddog gofal trafnidiaeth. Os oedd gan rywun arall wybodaeth am y troseddau, dylai'r heddlu fod yn ei holi, meddai DC Morris wrth Moore. Ond atebodd Moore, "Mae'n rhaid i chi drefnu hynny. Ddyweda i byth pwy ydi o... am resymau personol."

Ni chadwodd ei addewid.

* * *

Daeth Peter Moore o flaen rheithgor yn Llys y Goron yr Wyddgrug ym mis Tachwedd 1996, a gwadodd bedwar cyhuddiad o lofruddiaeth. Gwisgai grys du a thei ddu, a daeth ei wisg yn symbol o'i weithgareddau.

Dywedodd Alex Carlile, bargyfreithiwr y Goron, wrth y rheithgor, "Ef (Moore) oedd y dyn mewn du – gyda'i ddillad du, ei feddyliau du a'i weithredoedd duaf. Dywed yr erlyniad fod Peter Moore yn y nos yn un o'r bobl fwyaf peryglus i osod troed yng Ngogledd Cymru."

Roedd Moore yn ymddangos fel dyn busnes parchus yn ystod y dydd, meddai Mr Carlile, ond yn y nos byddai'n gwisgo mewn dillad tywyll, militaraidd i roi'r argraff ei fod yn ormesol ac yn awdurdodol er mwyn dychryn ei dargedau er ei foddhad rhywiol ei hun. Dywedodd Mr Carlile wrth y llys fod gan Moore 'baraffernalia gormesol' yn ei gartref, ac roedd yno hefyd ddillad lledr a lifrai a theganau rhyw. Esboniodd fod Moore wedi prynu'r gyllell o siop Reg Gizzi yn y Rhyl, a bod gwaed nifer o ddynion ar y llafn.

"Prynodd y gyllell gyda'r bwriad o ladd am ddim rheswm mwy na'i foddhad ei hun," meddai Mr Carlile.

Roedd Moore wedi cyfaddef mai ef a laddodd y dynion, a honnwyd iddo ddweud wrth yr heddlu nad oedd o'n edifarhau o gwbl. Dywedodd Mr Carlile, "Mae'r dyn peryg hwn yn lladd yn oeraidd am hwyl, i ryddhau tensiwn, i foddhau ei reddfau sadistaidd."

* * *

Wrth i'r achos llys barhau, roedd hi'n ymddangos fel pe bai Moore yn mwynhau'r sylw, yn cael boddhad o fod yn llygad y cyhoedd. Dywedodd un newyddiadurwr a fu'n gohebu ar yr achos fod Moore yn ymddwyn fel 'fi fawr'. Roedd rhywbeth newydd yn cael ei ddatgelu bob dydd, meddai'r gohebydd, ac un o'r datguddiadau mwyaf syfrdanol oedd pan enwodd Moore ei gynorthwywr honedig.

"Jason oedd ei enw oherwydd ei fod yn caru cyllyll," meddai'r dyn mewn du wrth y rheithgor.

Jason Vorhees oedd y gwallgofddyn ffuglennol yn y gyfres ffilmiau *Friday the 13th*, a chyfaddefodd Moore iddo weld y ffilm. Credai'r Goron fod Moore wedi seilio'i ymosodiadau cynnar ar rai o olygfeydd y ffilm gyntaf. Dywedodd Mr Carlile wrth Moore, "Fe ddefnyddioch chi'ch dychymyg anhygoel i greu'r stori am Jason fis ar ôl i'r prif gyfweliadau gael eu cwblhau."

Gofynnodd y bargyfreithiwr iddo pam na wnaeth ddatgelu enw Jason yn y 25 o gyfweliadau a gynhaliwyd gan yr heddlu. Meddai Moore, "Roeddwn i'n bwriadu cymryd y cyfrifoldeb fy hun, am fod pob dim wedi ei ddifetha. Roeddwn i wedi colli fy musnes, roeddwn i wedi colli fy sinemâu, roeddwn i fy hun ar goll."

Honnodd Moore ei fod wedi cyfarfod Jason yn Llanddulas yn 1995. Gweithiai y tu ôl i'r bar yng ngwesty'r Empire, Llandudno, a thrigai yn Llanfairfechan. Roedd Jason yn 48 oed, yn smocio sigârs ac roedd o'n hoff o gyllyll, meddai Moore. Pan awgrymodd Mr Carlile fod y Jason hwn yn weithiwr bar ffodus iawn i allu cael nos Sadwrn i ffwrdd 'er mwyn mynd i ladd pobl', doedd gan Moore ddim i'w ddweud.

* * *

Roedd digonedd o dystiolaeth fforensig i hoelio Moore. Darganfuwyd cymysgedd o waed dynion ar siaced ledr a chyllell o'i eiddo. Roedd gwaed Henry Roberts, Keith Randles a'r diffynnydd ar y gôt ddu ac roedd Caroline Eames, swyddog fforensig, o'r farn mai Moore oedd yn gyfrifol am lofruddio'r hen lanc o Gaergeiliog.

Dywedodd Dr Alistair McPhee, a arweiniodd yr ymchwiliadau fforensig ym Mona lle darganfuwyd corff Keith Randles, fod gwaed y swyddog gofal traffig ymysg yr 20 staen o waed ar siaced Moore. Profwyd hefyd mai gwaed Moore oedd ar gerrig mân a thywod ar Draeth Pensarn, ac ar siwmper Anthony Davies.

Senario posib, meddai Dr McPhee, oedd bod y diffynnydd wedi trywanu Mr Roberts a Mr Randles tra oedd yn gwisgo'r siaced ledr, ac yna wedi'i anafu ei hun wrth ymosod ar Mr Davies. Roedd Moore wedi disgrifio'r modd y lladdodd Mr Davies: "Cyrhaeddodd mewn car, neidio allan, a cherdded at ymyl y dŵr. Cerddais o gwmpas gan edrych arno ac yna estynnais y gyllell a'i drywanu."

Newidiodd Moore ei stori'n ddiweddarach, gan honni ei fod wedi dal Mr Davies yn ei freichiau ar ôl i'w gynorthwywr honedig ymosod arno. Honnodd Moore iddo gael ei anafu ar Draeth Pensarn wrth geisio cydio yn y gyllell o grafangau Jason.

Awgrymodd Eric Somerset Jones, bargyfreithiwr Moore, ei bod hi'n bosib fod rhywun arall wedi gwisgo siaced ledr y diffynnydd wrth lofruddio'r dynion. Taerodd Moore ei hun yn y llys fod Jason wedi gwisgo'r gôt am rai misoedd.

Darganfuwyd y gyllell a ddefnyddiwyd i ladd Mr Roberts yng nghefn fan Moore, a daethpwyd o hyd i'r plac Natsïaidd yng nghartref y diffynnydd hefyd. Roedd oriawr Mr Randles yn fan Moore ac fe ddaeth yr heddlu ar draws ffôn symudol y swyddog gofal traffig ym mhwll pysgod Moore. Roedd y recordydd fideo a oedd wedi diflannu o'r garafán y noson y lladdwyd Mr Randles wedi ei guddio o dan y soffa yng nghartref Moore.

Ond roedd Moore yn parhau i honni mai Jason a oedd yn gyfrifol am y llofruddiaethau a mynnodd ei fod mewn cariad â hwnnw o hyd.

* * *

Disgrifiodd seiciatrydd Moore fel dyn a oedd yn gwahodd cyhoeddusrwydd ac yn mwynhau brawychu ei ddioddefwyr, ond nid oedd yn wallgof. Roedd Dr David Finnegan, seiciatrydd fforensig o Lerpwl, wedi cyfweld y diffynnydd yn y ddalfa. Dywedodd fod gan Moore arferiad o fynd o gwmpas yn y tywyllwch yn ymosod ar ddynion, eu bygwth, tynnu amdanynt a'u bychanu'n rhywiol. Codi ofn a'r teimlad o rym a gâi yn sgil hynny oedd yn ysgogi Moore, meddai Dr Finnegan. Roedd yn dod o hyd i ddynion ar draethau ac yng nghefn gwlad. Roedd sawl un yn feddw ar y pryd ac felly'n dargedau hawdd. Roedd Moore yn ymwybodol o'i weithredoedd ac roedd o'n ddidostur.

Cyfaddefodd Moore i'r seiciatrydd ei fod yn mwynhau'r cyhoeddusrwydd a cheisio osgoi'r heddlu. Ar ôl yr ymosodiadau byddai'n ffantasïo am yr hyn a ddigwyddodd, ac o dro i dro byddai'n cael rhyw gyda chymar cytûn. Meddai Dr Finnegan wrth Lys y Goron yr Wyddgrug yn ystod yr achos, "Pan welais i'r diffynnydd ym mis Ebrill (1996) roedd o mewn hwyliau da a dywedodd wrtha i nad oedd wedi teimlo cystal ers blynyddoedd. Roedd o'n edifar dim."

* * *

Llwyddodd Moore i osgoi'r heddlu am flynyddoedd. Disgrifiodd i'r llys sut y byddai'n gwneud hynny. Broliodd am ei allu i lithro drwy'r rhwyd, ac iddo sleifio drwy rwystrau ffyrdd sawl gwaith.

"Ar un achlysur roedd y ffordd wedi ei chau o'r ddau gyfeiriad ond llwyddais i fynd trwyddynt. Roeddwn i'n dda iawn am eu hosgoi, wyddoch chi," meddai Moore wrth gael ei holi. Disgrifiodd sut y stopiodd yr heddlu ei gar yn ardal Gwydyr, Dyffryn Conwy. Disgleiriwyd fflachlamp er mwyn i'r heddlu gael golwg ar y gyrrwr – roeddynt yn chwilio am gnaf a oedd wedi ymosod ar ddyn y noson honno. Cyfaddefodd Moore i'r ymosodiad wrth gael ei holi yn y ddalfa ar ôl iddo gael ei arestio yn 1995 ond, ar y pryd, ar ôl i'r heddlu ddisgleirio'r fflachlamp arno, ei astudio'n ofalus, fe gafodd fynd ymlaen â'i daith.

"Roedd person arall efo fi yn y car," meddai, "a dwi'n cymryd bod yr heddlu ar y pryd yn chwilio am yrrwr ar ei ben ei hun."

Ond wedi ugain mlynedd o browlan, ugain mlynedd o ymosodiadau ar ddwsinau o ddynion, a phedair – cyn belled ag y gwyddai'r awdurdodau – llofruddiaeth, roedd rhwyd cyfiawnder yn cau o gwmpas Peter Moore.

Ar 29 Tachwedd 1996, ar ôl achos llys a barodd tair wythnos, fe'i cafwyd yn euog o lofruddio Henry Roberts, Keith Randles, Edward Carthy ac Anthony Davies.

Doedd dim ymateb gan Moore i'r rheithfarn – dim emosiwn, dim edifarhau. Carcharwyd o am bedwar cyfnod o oes gan Meistr Ustus Maurice Kay a datganodd y barnwr y byddai'n ymgynghori gyda'r Ysgrifennydd Cartre ynglŷn â'r union gyfnod y byddai Moore yn treulio yn y carchar. Dywedodd mai ei gyngor o ynglŷn â phryd y dylid rhyddhau Moore oedd: "Byth." Meddai'r Meistr Ustus Kay wrth Moore, "Roeddech chi'n gyfrifol am bedair llofruddiaeth sadistaidd dros gyfnod o dri mis. Doedd yr un o'r trueiniaid wedi gwneud niwed i chi. Lladd er mwyn lladd oedd hyn. Fe ddywedoch chi wrth un o'r dioddefwyr eich bod yn ymosod arno o ran hwyl. Dydych chi ddim wedi dangos y mymryn lleiaf o edifeirwch. Rydych chi'n ddyn mor beryglus ag sy'n bosib dod o hyd iddo."

* * *

Honnodd y *Weekly News* yn fuan ar ôl y rheithfarn y gallai Moore gael ei holi ynglŷn â diflaniad 51 o ddynion yng Ngogledd Cymru dros y blynyddoedd. Yn wir, roedd yr heddlu wedi ei holi am farwolaeth trempyn yn Llanrwst yn 1975.

Darganfuwyd corff Hugh Watson, 77, wedi ei drywanu, mewn tŷ gwair a oedd wedi ei losgi. Roedd o'n gymeriad cyfarwydd o gwmpas ardal Llanrwst. Bu'n byw mewn cartrefi i'r henoed yn Rhuthun a Llanrwst ar ôl iddo roi'r gorau i yrru injan stêm. Ond ni allai ddygymod â bywyd yn y cartrefi preswyl ac fe ddaeth o hyd i lety mewn beudai tu ôl i westy'r Queen's yn Llanrwst. Cysgai yno ar dwmpath o gotiau. Roedd si fod ganddo ddigon o arian, er nad oedd prawf o hynny yn ôl y modd yr oedd yn byw.

Cerddai Hugh ar ddwy ffon. Dioddefai o'r gwynegon. Roedd o'n ddyn bach, yn dila ac yn fusgrell. Roedd yn adnabyddus i drigolion Llanrwst, a byddai'n hoffi peint a gêm o ddominos yn nhafarn Pen y Bryn. Ar 9 Rhagfyr 1975, gadawodd y dafarn am 9.30 p.m. a mynd am adre; taith hanner awr ac yntau'n cerdded ar ddwy ffon. Credir bod o leiaf ddau ddyn wedi dilyn Hugh i'r beudai. Daethpwyd o hyd i'w gorff yn ddiweddarach; roedd wedi cael ei fygu ac wedi ei drywanu 18 o weithiau gan bicwarch. Barn yr heddlu oedd fod rhywun wedi dwyn arian Hugh, ac yna wedi'i ladd. Ond dri diwrnod yn ddiweddarach, daethpwyd o hyd i'w waled yn llawn arian. Ymddengys nad lladrad, felly, oedd cymhelliad yr ymosodwyr.

Gofynnwyd i Moore ai ef oedd yn gyfrifol am lofruddio 'Watson Bach', fel y gelwid Hugh yn lleol. Dywedodd Moore wrth yr heddlu, "Roeddwn i'n weddol agos at Lanrwst y noson honno ond doedd gen i ddim i'w wneud â'r llofruddiaeth. Gyda phicwarch y lladdwyd o, ia?"

Hyd heddiw, nid oes neb wedi cael ei gyhuddo o lofruddio Hugh Watson.

Ond os na chafodd Hugh Watson gyfiawnder, roedd dwsinau o ddynion eraill wedi eu bodloni yn fawr pan garcharwyd Peter Moore.

Dywedodd Robert Gavin, y cyn-filwr a gafodd gweir gan Moore, y dylai'r 'dyn mewn du' gael ei gadw yn y carchar am weddill ei oes.

"Fe laddodd o gymaint o ddynion," meddai Mr Gavin wrth y *Weekly News* ar ôl yr achos, "a dwi'n diolch i

Dduw fy mod i wedi dod trwyddi. Am yr hyn a wnaeth o i mi ac i eraill, mi fuaswn i'n mynnu'r gosb eithaf."

Roedd Huw Griffith, a gafodd ei barlysu gan Moore, yn y llys pan ddedfrydwyd y llofrudd a datganodd fod cyfiawnder wedi ei gyflawni.

"Mae wedi bod yn amser hir, ond rydw i'n falch," meddai. "Mi fu hi'n anodd dod i'r llys, ond roedd hi'n werth y profiad ar ddiwedd y dydd. Mae fy mywyd wedi mynd oherwydd y dyn dieflig yma. Mi ddylent ei grogi."

Er bod rhyddhad yn sgil carcharu Moore, roedd y dioddef yn parhau i deuluoedd y dynion a gafodd eu llofruddio ganddo. Mewn datganiad a ddarllenwyd gan Michael Davies, brawd Anthony Davies, ar ôl i'r achos ddod i ben diolchwyd i'r heddlu ac i'r teulu a chyfeillion am eu cefnogaeth; ond roedd eu poen a'u dioddefaint yn parhau, meddai.

Dywedodd Malcolm Prewitt, brawd-yng-nghyfraith Mr Davies, "Mae o (Moore) wedi ei ddedfrydu am oes am ladd pedwar dyn diniwed, ond rydan ni hefyd wedi'n dedfrydu am oes. Diolch i Dduw na all y bwystfil yma ladd eto yn ein cymdeithas."

Talodd Lisa Jones deyrnged i'w thad, Keith Randles, a'i ddisgrifio fel dyn oedd â safonau moesol uchel a rhywun roedd pawb yn hoff ohono. "Rydan ni wedi colli tad ac mae'n plant ni wedi colli taid oedd yn chwarae rhan allweddol yn eu bywydau," meddai Mrs Jones.

“Ni ellir disgrifio Peter Moore dim ond fel un o’r dynion mwyaf dieflig erioed. Tra byddan ni byw, ni allwn ni ddechrau maddau i berson mor ddieflig ag o.”

* * *

Gobeithiai’r teuluoedd y byddai Moore yn pydru yn ei gell, a thros gyfnod o amser y pylai ei bresenoldeb o’u cof. Ond roedd dyn a oedd â’r ffasiwn flys am gyhoeddusrwydd yn siŵr o sicrhau nad oedd pobl yn anghofio amdano. Roedd Moore wedi mynd yn fethdalwr ar ôl cael ei garcharu ac fe werthwyd ei gartref ym Mae Cinmel. Ond ni roddodd hyn daw ar ei ymdrechion i godi arian. Yn Ebrill 2000, llwyddodd i ennill iawndal gan gymdogion a oedd, yn ôl Moore, wedi dwyn eiddo o’i gartref. Enillodd dros £12,000 mewn achos yn erbyn Les Bradshaw a Pauline Prydderch. Roeddent wedi gwerthu cannoedd o eitemau o’i dŷ mewn arwerthiannau cist car. Honnodd Moore fod y ddau wedi cymryd mantais o’i wahoddiad i symud i’w dŷ fel gofalwyr. Cynigiodd Moore restr 14 tudalen o eitemau roedd y ddau wedi eu cipio ar ôl iddo eu gwahodd i fyw yno. Dywedodd eu bod wedi gwerthu eitemau fel corachod gardd, esgidiau wellingtons, a 900 o bosteri ffilmiau.

Fis yn ddiweddarach, ym Mai 2000, sgrifennodd Moore at gyfaill i ddweud ei fod yn bwriadu erlyn

Heddlu Gogledd Cymru am iawndal. Cyhuddodd yr heddlu o beidio ag ymateb i lythyr a sgrifennodd atynt yn 1996 tra oedd yn y ddalfa, yn cwyno am ymddygiad Mr Bradshaw a Ms Prydderch. Bwriadai ddadlau fod gan yr heddlu gyfrifoldeb i gadw llygad ar ei eiddo ar ôl iddo eu rhybuddio yn ei lythyr.

Roedd o hefyd am erlyn yr heddlu a hawlio iawndal am iddynt ddifrodi ei gartref wrth chwilio am gliwiau a thystiolaeth. Dywedodd fod y tŷ wedi ei falurio, y lloriau wedi eu codi, a'r plastr wedi ei dynnu oddi ar y pared. Bwriadai eu herlyn am iawndal o £165,000, meddai wrth ei gyfaill, mewn achos yn erbyn yr heddlu, Les Bradhsaw, a Pauline Prydderch.

Bron i ddwy flynedd yn ddiweddarach, yn Ionawr 2002, cyhoeddwyd fod Moore wedi ennill iawndal pellach o £50,000 gan Mr Bradshaw. Methodd ag ennill iawndal gan yr heddlu, ond cwynodd i Awdurdod Cwynion yr Heddlu, a honnwyd ei fod yn golygu erlyn yr heddlu drachefn. Ceisiodd erlyn Lewis Colwell, perchennog sinema'r Futura yn Ninbych – sinema roedd Moore ar fin ei hailagor cyn iddo gael ei arestio. Cyfarfu'r ddau yn 1982 pan roeddynt yn cystadlu i geisio prynu'r Futura. Mr Colwell a enillodd y ras, ond fe ddaeth y ddau'n gyfeillion ac yn ddiweddarach daethant yn gyd-berchnogion ar y sinema. Ond ar ôl i Moore gael ei ddedfrydu, dywedodd Mr Colwell fod y byd yn lle diogelach. Disgrifiodd Mr Colwell ei gyngyfaill fel 'bom a oedd yn barod i ffrwydro'.

Roedd Moore hefyd yn sgrifennu at nifer o bobl, gan gynnwys Gareth Hughes, gohebydd profiadol gyda'r *Daily Post* a oedd wedi adrodd ar yr achos llys. Roedd Mr Hughes yn gyfarwydd â Moore cyn yr achos, ac wedi gohebu ar ei fentrau dros y blynyddoedd, ond nid oedd yn gyfeillgar â'r cyn-ŵr busnes. Yn ei lythyrau at Mr Hughes, roedd Moore yn trafod ei fwriad i apelio, a hefyd yn sôn am Jason. Sgrifennodd hefyd ar ôl i Harold Shipman, y doctor a laddodd gannoedd o'i gleifion, gyflawni hunanladdiad. Roedd y ddau yn garcharorion yng Ngharchar Wakefield, a dywedodd Moore wrth Mr Hughes ei fod wedi siarad â Shipman y diwrnod cyn i'r doctor ladd ei hun. Roedd Moore wedi datgan syndod fod Shipman wedi gwneud y ffasiwn beth.

Un bore Sadwrn, daeth galwad ffôn i gartref Mr Hughes. Atebodd ei wraig y ffôn i rywun oedd yn holi am "Gareth".

"Pwy sy'n siarad?" holodd Anwen Hughes.

"Peter," meddai'r llais.

Hyd heddiw, does gan Mr Hughes ddim syniad sut y cafodd y llofrudd afael ar ei rif ffôn.

Ym mis Awst 2002, cyhoeddodd Moore newyddion a fyddai'n oeri gwaed pawb yn y gymuned – bwriadai ddychwelyd i fyw i Ogledd Cymru unwaith y byddai'n cael ei ryddhau. Wrth gwrs, roedd y barnwr wedi ei garcharu am bedwar cyfnod o oes ac nid oedd Moore wedi cael yr hawl i apelio. Ond roedd hyder y dyn mewn du yn ddigon i godi ofn. Datgelodd mewn llythyr at unigolyn arall ei fod yn bwriadu chwilio am eiddo yng Ngogledd Cymru.

"Rydw i wedi penderfynu," meddai, "nad ydw i am fyw yn unlle arall."

Ond yn Rhagfyr 2006, fe ddaeth diwedd i'w obeithion, ac ychydig o ryddhad, mae'n debyg, i deuluoedd ei ddioddefwyr ac i'r gymuned yn gyffredinol. Cyhoeddwyd na fyddai Peter Moore byth yn cael ei ryddhau. Roedd o ymysg 35 o lofruddion a oedd wedi cael dedfryd 'gweddill oes', yn ôl papur newydd *The Times*. Byddai'n marw yn y carchar.

Gwireddwyd dymuniad Meistr Ustus Kay, felly, pan ddatganodd yn y llys pryd y dylai Moore gael ei ryddhau: "Byth."

ACHOS 5: JEFFREY GAFOOR
BAI AR GAM

FE YSGYTWODD llofruddiaeth Lynette White gymuned Tre-biwt, Caerdydd – ond fe wnaeth yr achos llys a'r camwedd cyfiawnder a ddaeth yn sgil yr ymchwiliad greu cryndod yn sylfeini rhwydwaith cyfreithiol Cymru a Lloegr.

Ganed Lynette yn Swydd Essex yn 1967. Symudodd y teulu i Gaerdydd pan oedd hithau'n faban. Gwahanodd ei rhieni pan oedd hi'n ddwyflwydd oed. Mynychodd Ysgol Uwchradd y Rhymni, ond gadawodd yr ysgol heb gymwysterau ac yn 18 oed symudodd i ardal Trelluest (Grangetown) ac yno y dechreuodd ennill bywoliaeth fel putain.

Roedd Lynette yn canlyn Steve Miller, dyn du ei groen a elwid yn 'Pen Pinafal' oherwydd steil ei wallt. Un o Lundain oedd Miller yn wreiddiol. Roedd ganddo gyniferydd deallusrwydd (C.D. / I.Q.) o 75, yr un peth â phlentyn un ar ddeg oed. Roedd ganddo oed darllen plentyn wyth oed, roedd o'n hawdd i'w berswadio, ac yn agored i niwed. Defnyddiai gocên, a honnwyd mai ef oedd pimp Lynette ac mai hi a oedd yn talu am ei gyffuriau.

Pan ddechreuodd y ddau ganlyn, doedd Miller ddim yn hapus fod Lynette yn butain. Mynnodd ei bod yn rhoi'r gorau i werthu ei chorff. A phan aeth Lynette ati eto i gerdded y strydoedd, roedd Miller, yn ôl rhai, yn siomedig. Ond gan fod Miller yn defnyddio cocên, roedd rhaid iddo gael arian i'w brynu – a'i unig ffynhonnell oedd Lynette. Ond rai dyddiau cyn iddi gael ei lladd, roedd Lynette wedi ymwahanu oddi wrth Miller.

Llofruddiwyd Lynette yn oriau mân 14 Chwefror 1988. Ond am bum diwrnod cyn y dyddiad hwnnw, doedd dim sôn amdani.

Roedd ffrind i Lynette wedi rhoi agoriad ei fflat yn 7 Stryd James i Lynette er mwyn i'r butain ifanc allu diddanu cleientiaid yno. Roedd ei chyfaill yn pryderu am Lynette am ei bod ar goll ers dyddiau, ac roedd hi hefyd am gael agoriad ei fflat yn ôl.

Roedd tystion wedi gweld Lynette o gwmpas Caerdydd yn ystod y cyfnod hwn, ond doedd neb wedi ei gweld yn ei chynefin, yn ardal Tre-biwt. Bu hi ar goll o'r blaen, ond roedd hi wedi dychwelyd – ac ni fu hi ar goll am gyfnod mor hir â hyn.

Hyd heddiw, does neb yn gwybod lle yr aeth Lynette White, ond un peth sy'n sicr: dychwelodd i'r fflat yn Stryd James rhyw ben nos Sadwrn, neu yn oriau mân bore Sul, oherwydd rhywbryd rhwng 1.45 a.m. ac 1.50

a.m. fe'i llofruddiwyd hi gan ymosodwr a'i thrywanodd o leiaf hanner cant o weithiau.

Daethpwyd o hyd i'w chorff am 9.17 p.m. ar y nos Sul gan ddau heddwas a oedd wedi mynd i'r fflat gyda chyfaill Lynette. Darganfu'r swyddogion fforensig wallt, poer, sberm, print troed, print llaw a gwaed Lynette yn y fflat, a hefyd sampl o waed o grŵp prin iawn a oedd yn cynnwys cromosom gwrywaidd. Y farn yn lleol oedd mai cleient a oedd wedi ymosod ar Lynette, am ba bynnag reswm.

Y noson y bu Lynette farw, roedd Steve Miller yng nghlwb y Casablanca. Yno hefyd, ar yr un noson, roedd dyn o'r enw Tony Paris. Gweithiai yn y Casablanca fel casglwr gwydrau, ac o dro i dro byddai'n cadw llygad ar y drws gyda John Actie, cawr o ddyn a oedd o hyd yn tynnu'n groes i'r heddlu. Roedd cefnder John, sef Ronnie Actie, yn cael perthynas gyda chyfaill Lynette. Roedd gan Ronnie Actie gyhuddiadau yn ei erbyn, gan gynnwys cyhuddiad o ddwyn oddi ar butain drwy ddefnyddio cyllell. Nid oedd y naill Actie na'r llall yn angylion. Roedd Paris, hefyd, wedi ei gyhuddo yn y gorffennol – ond dim ond am ddwyn o siopau; nid oedd yn ddrwgweithredwr difrifol.

Nid felly Yusef Abdullahi. Roedd yr heddlu'n bendant o'r farn fod Abdullahi'n gwerthu cyffuriau, ac wedi mynd ati sawl gwaith i'w gyhuddo – ond roeddent wedi methu bob tro. Doedd Abdullahi ddim yn hoff o

Lynette. Roedd o o'r farn ei bod hi'n ddau wynebog.

Yn ystod yr wythnos yr aeth hi ar goll, roedd Lynette i fod i roi tystiolaeth yn erbyn gwraig o'r enw Francine Cordle, a oedd wedi ei chyhuddo o ymosod ar butain o'r enw Tina Garton. Cordle oedd cariad Tony Miller, brawd Steve Miller. Credai Abdullahi i Lynette ddweud wrth yr heddlu fod Tony Miller a Cordle wedi cuddio yn ei gartref o ar ôl yr ymosodiad ar Garton.

Y nos Sadwrn honno, ac yn oriau mân 14 Chwefror, roedd Abdullahi'n gweithio yn nociau'r Barri, wyth milltir o Gaerdydd. Gweithiai fel labrwr ar yr *MV Coral Sea*. Byddai'n weldio a hollti metel ac yna'n taflu'r darnau ar y doc lle roedd criw o werthwyr metel sgrap yn aros. Er nad oedd yn hoff o Lynette, brawychwyd o gan ei llofruddiaeth ac fe geisiodd gynorthwyo'r heddlu wrth chwilio am y llofrudd.

Roedd Steve Miller hefyd yn awyddus i gynorthwyo'r heddlu, a chafodd ei holi am y tro cyntaf ychydig oriau ar ôl i'r awdurdodau ddarganfod corff Lynette yn 7 Stryd James. Cwblhawyd datganiad trylwyr yn ystod y cyfweliad gyda Heddlu De Cymru. Disgrifiodd Miller yn union lle roedd o, a gyda phwy, pan laddwyd Lynette. Rhyddhawyd ef ar 16 Chwefror a dywedodd Heddlu De Cymru nad oeddent yn ei amau. Gwnaeth Miller wyth datganiad pellach yn ystod y mis wedi marwolaeth Lynette. Cynhaliwyd profion fforensig ar ei ddillad, ei waed a'i gar. Roedd y profion yn negatif.

Doedd dim diferyn o dystiolaeth fforensig y gellid ei ddefnyddio i gyhuddo Miller o'r llofruddiaeth. Yn wir, fe ddylai'r dystiolaeth fforensig fod wedi ei ddileu o'r ymchwiliad.

Fe aeth Abdullahi a Paris ati i gynorthwyo'r ymchwiliad hefyd. Roedd cymuned Tre-biwt yn un glòs; pawb yn adnabod ei gilydd. Ac er bod drwgdeimlad rhwng nifer o'r trigolion – fel Abdullahi a Lynette, er enghraifft – roedd llofruddiaeth o'r fath yn anllad iddynt.

Ysgytiwyd y gymuned a brawychwyd y puteiniaid. Roedd arnynt ofn dychwelyd i'r strydoedd tra oedd gwallgofddyn â'i draed yn rhydd. Holwyd cannoedd os nad miloedd o drigolion yr ardal yn ystod yr ymchwiliad. Casglwyd 22,000 tudalen o wybodaeth gan yr heddlu.

Ac yna, cafodd yr heddlu rywun i'w amau: dyn gwyn yn ei dridegau, tua phum troedfedd wyth modfedd. Roedd ganddo wallt tywyll, seimllyd. Roedd golwg ofnadwy arno, ei ddwylo wedi eu cwpanu wrth ei wyneb ac roedd ganddo anaf ar ei law. Roedd gwaed ar ei ddillad ac fe'i gwelwyd yn crio yng nghyffiniau'r fflat yn Stryd James, y tu allan i'r Amgueddfa Forwrol. Gwelwyd o ar 14 Chwefror ac roedd yno yn ystod y prynhawn, rhwng 2.45 p.m. a 3.15 p.m., dros ddeuddeg awr ar ôl i Lynette gael ei llofruddio. Darparwyd llun ffotoffit a darlledwyd y llun ar raglen *Crimewatch* ar 17 Mawrth. Awgrymodd y Ditectif Prif Uwch-arolygydd

John Williams, a oedd yn arwain yr ymchwiliad, mai hwn oedd yn gyfrifol am lofruddio Lynette.

Tystiodd llawer iddynt weld y dyn a bortreawyd yn y llun ffotoffit. Gwelwyd o yng Nghaerdydd yn yr wythnos cyn i Lynette gael ei lladd. Cafodd ei daflu allan o gaffi yn ôl un llygad-dyst. Gwelodd rhywun arall y llofrudd honedig yng nghlwb y Casablanca ar noson 14 Chwefror.

Ond er yr holl ymdrech, ni ddaethpwyd o hyd i'r dyn gwyn ac ni lwyddwyd i'w ddileu o'r ymchwiliad.

* * *

Yn ystod y misoedd a ddilynodd, roedd straeon a chwedlau o bob math yn diferu o strydoedd Tre-biwt. Roedd sïon yn gwibio 'nôl a blaen, yn gwyrdroi ac yn esblygu wrth chwipio o'r naill glust i'r llall. Roedd pobl yn hel clecs, pawb yn amau'i gilydd, a sawl un a oedd wedi gwneud datganiadau i'r heddlu yn y dyddiau'n dilyn llofruddiaeth Lynette yn dechrau gwyro o'u tystiolaeth wreiddiol.

Roedd Abdullahi wedi cael ei holi fel rhan o'r ymchwiliad ac wedi esbonio'i fod yn gweithio yn nociau'r Barri'r noson honno – ond roedd tyst wedi gwneud honiad yn ei erbyn ef, ac yn erbyn Miller.

Cyhuddodd y tyst 'Dullah' a 'Phen Pinafal' o lofruddio Lynette. Roedd Miller, erbyn hyn, wedi dychwelyd i

Lundain, wedi cael llond bol ar yr awyrgylch a'r straen oedd yn frith drwy'r lle. Roedd y tyst yn flin ac yn credu y dylai Miller ddioddef fel yr oedd hi wedi dioddef o gael ei holi droeon gan yr heddlu. Ac mewn cyfweliad gyda ditectif, cyfaddefodd ei bod yn feddw pan wnaeth y cyhuddiadau yn erbyn Abdullahi a Miller. Roedd hi'n chwerw, meddai, am fod Miller wedi ymadael, a dyna pam y cyhuddodd Miller, yn enwedig.

Ond roedd sibrydion pellach ynglŷn ag Abdullahi. Cafodd ei holi drachefn gan yr heddlu. Unwaith eto cadarnhaodd ei fod yn gweithio ar y *Coral Sea* ar y noson y cafodd Lynette ei llofruddio. Er hyn, roedd yr heddlu wedi penderfynu ystyried bod Miller ac Abdullahi wedi chwarae rhan yn y llofruddiaeth.

Ym mis Hydref, daeth yr heddlu ar draws gwraig a oedd wedi gyrru heibio i 7 Stryd James ar y noson y llofruddiwyd Lynette White. Fis Hydref, dywedodd hi wrth yr heddlu iddi weld pedwar dyn du yn ymgynnull y tu allan i'r fflat yn Stryd James. Wythnosau'n ddiweddarach, enwodd y wraig ddau o'r dynion yr honnai iddi'u gweld. Un ohonynt oedd John Actie.

Arweiniodd tystiolaeth y wraig yr heddlu'n ôl at dyst a oedd yn byw yng Nghwrt San Clêr, sydd yn agos at fflatiau Stryd James lle roedd wedi honni iddi weld y dynion. Roedd yr heddlu am wybod a oedd y tyst wedi gweld rhywbeth. Roeddent wedi holi'r tyst yn gyson dros y misoedd. Honnodd, ar y cychwyn, iddi aros gartref ar noson y llofruddiaeth i edrych ar ôl babi un o'r tystion eraill a oedd wedi dechrau gwneud cyhuddiadau. Ond pan ddychwelodd yr heddlu ati, yn sgil gwybodaeth y wraig, ehangodd stori'r tyst yn ystod yr wythnosau nesaf. A chydag unigolion eraill, hefyd, yn ychwanegu at y dystiolaeth, fe ymwthiodd pump enw drwy fieri'r ymchwiliad.

* * *

Arestiwyd Steve Miller ar 7 Rhagfyr yn Llundain. Dros gyfnod o bedwar diwrnod, holwyd Miller 19 o weithiau. Treuliodd ymron i 13 awr yn y stafell holi. Yn ystod y saith cyfweliad cyntaf aethpwyd ati i falurio ei alibi, ac erbyn y seithfed cyfweliad roeddent yn ei gyhuddo o fod yno pan laddwyd Lynette. Er iddo wadu dros dri chant o weithiau fod ganddo unrhyw ran yn llofruddiaeth Lynette, roedd yr heddlu'n ymosod arno'n llafar. Roedd Miller hefyd yn flin iddo gael ei ddrwgdybio gan dyst, a oedd wedi ei enwi fel un o'r rheini a oedd yn gyfrifol am y drosedd.

Roedd y pwysau ar Miller yn ddychrynllyd. Rhaid cofio bod ganddo gyniferydd deallusrwydd hynod o isel, a'i fod yn hawdd dylanwadu arno. Yn wir, wrth i'r cyfweliadau barhau, roedd Miller wedi derbyn y gallai fod wedi bod o dan ddylanwad cyffuriau, a'i fod wedi anghofio iddo fod yn bresennol yn y stafell lle llofruddiwyd Lynette. Mae'r cyfweliadau'n dangos bod Miller yn derbyn gwybodaeth y cynigiai'r heddlu iddo fel manylion ynglŷn â'r drosedd. Felly, roedd y ffeithiau roedd o'n eu cynnig wedi eu bwydo iddo gan yr heddlu.

Yn ystod chwe munud agoriadol y deunawfed cyfweliad, disgrifiai Miller sut yr oedd Tony Paris yn penlinio dros gorff Lynette ac yn ei thrywanu. Mae'n datgelu bod Ronnie a John Actie yn y stafell, a'u bod hwythau, hefyd, wedi trywanu Lynette.

Dywedodd yr heddlu wrtho fod sawl llygad-dyst wedi ei enwi fel un o'r llofruddion. Ond y gwir amdani oedd mai dim ond un tyst oedd wedi gwneud hynny – ac roedd honno'n dyst na ellid dibynnu arni. Ond eto, ei thystiolaeth hi oedd yr unig sail a oedd gan yr heddlu i arestio a holi Miller yn y lle cyntaf. Ac wedi'r holl bwysau, ar ôl oriau o ormes a bwlio, fe gafodd yr heddlu ganlyniad.

Cyfaddefodd Miller iddo lofruddio Lynette White. Ond roedd ei gyfaddefiad yn cynnwys manylion a oedd yn gwrth-ddweud bron pob ffaith ddiamheuol ynglŷn â llofruddiaeth Lynette. Er enghraifft, dywedodd Miller i'r anaf cyntaf gael ei achosi yn stumog Lynette, ond roedd y patholegydd, yr Athro Bernard Knight, wedi profi mai yn ei gwddf y dioddefodd Lynette yr anafiadau cyntaf.

* * *

Doedd Tony Paris, Yusef Abdullahi, Ronnie Actie a John Actie ddim mor hawdd i'w perswadio ag yr oedd Steve Miller. Doedden nhw ddim yn disgwyl cael eu harestio. Ni fu Tony Paris yn y carchar o'r blaen, er iddo wynebu cyhuddiadau am fân droseddau. Doedd e erioed wedi cael ei holi yn y fath fodd – ond wnaeth o ddim plygu i ffyrnigrwydd yr heddlu a gwadodd hyd y diwedd ei fod yn gyfrifol am lofruddio Lynette.

Holwyd Abdullahi ugain o weithiau. Esboniodd sawl gwaith ei fod ar y *Coral Sea* yn nociau Barri pan laddwyd Lynette – yn wir, cyfeiriodd at y *Coral Sea* dros 500 o weithiau yn ystod yr holi.

Gwadodd John Actie, hefyd, iddo fod yn y fflat lle lladdwyd Lynette. Yn wir, doedd o ddim wedi cael ei enwi o gwbl gan un o dystion yr heddlu, ac roedd un arall wedi dweud ei fod y tu allan i'r fflat y noson honno. Er i'r heddlu ddweud wrtho fod tystion wedi ei weld y tu allan i'r fflat, gwrthododd Actie, yn blwmp ac yn blaen, dderbyn ei fod yno.

Dywedodd un o'r ditectifs a holodd Ronnie Actie fod hanner poblogaeth y dociau'n honni ei fod wedi chwarae rhan yn llofruddiaeth Lynette. Doedd hynny ddim yn wir, wrth gwrs. Ceisiodd yr heddlu ei fwlio i gyfaddef, ond roedd Actie'n galetach dyn na Miller a gwaeddodd yn ôl ar yr heddlu a oedd yn ceisio'i ormesu.

Ni chawsant gyfaddefiad gan Actie; ni chawsant gyfaddefiad gan yr un ohonynt. Ond roedd Miller wedi cyfaddef ac, ar 11 Rhagfyr 1988, cyhuddwyd Miller, Paris, Abdullahi, a'r cefndryd Actie o lofruddio Lynette White.

* * *

Cynhaliwyd yr achos yn Llys y Goron Abertawe, ac roedd hynny, ynddo'i hun, yn benderfyniad dadleuol. Mae'r gyfraith, wrth gwrs, yn hawlio bod diffynnydd yn cael ei roi ar brawf o flaen rheithgor o'i gyfoedion. Ond mae Abertawe yn gymuned wahanol i'r gymuned honno sy'n trigo yn nociau Caerdydd, sef cymuned a chyfoedion y pump cyhuddedig.

Fel y dywed Satish Sekar, y newyddiadurwr a ymgyrchodd maes o law i sicrhau bod yr heddlu'n mynd ati i ddod o hyd i wir lofrudd Lynette White: "Mae rheithgor o'ch cyfoedion yn golygu rheithgor sy'n dod o'r un cefndir â'r diffynnydd." Beth bynnag, wedi deng mis yn y ddalfa, dechreuodd yr achos yr erbyn Pum Caerdydd yn Hydref 1989 o dan oruchwyliaeth Meistr Ustus McNeill.

Wrth i'r achos fynd rhagddo, casglodd cyfreithwyr y pump 40 sail lle gellid apelio yn erbyn rheithfarn euog – ac roedd y mwyafrif o'r rheini'n deillio o ymddygiad Meistr Ustus O'Neill. Yn ôl Satish Sekar, yn ei lyfr *Fitted In*, byddai ei grynodeb o'r achos fwy neu lai'n arwain y rheithgor i gyhuddo'r pump.

Ond yna, wedi pum mis, a'r achos yn prysur ddod

i ben, bu farw'r barnwr ar ôl cael trawiad ar y galon. Felly roedd yn rhaid ailadrodd y cwbl, a dechreuodd yr ail achos ar 10 Mai 1990. Meistr Ustus Leonard oedd y barnwr y tro hwn.

Conglfaen yr achos yn erbyn Steve Miller oedd ei gyfaddefiad, ac fe wadodd yr heddlu iddynt ei orthrymu a'i fwlio. Doedd dim tystiolaeth fforensig i'w gyhuddo o lofruddiaeth Lynette White.

Roedd yr achos yn erbyn Tony Paris yn dibynnu ar dystiolaeth gan leidr arfog o'r enw Ian Massey, a oedd yng ngharchar Caerdydd gyda Paris. Roedd Massey'n gobeithio apelio yn erbyn y cyhuddiad yn ei achos o, ac yn barod i wneud unrhyw beth i ennill sylw ac adfer ei enw da. Dywedodd wrth yr heddlu fod Paris wedi cyfaddef bod Pum Caerdydd wedi llofruddio Lynette White, ond nad oedd yn fwriad ganddo ef, Paris, i'w lladd.

Seiliwyd yr achos yn erbyn Ronnie Actie ar dystiolaeth tri llygad-dyst a oedd yn taeru iddynt ei weld yn 7 Stryd James, ac roedd y dystiolaeth yn erbyn ei gefnder, John, hefyd yn ddibynnol ar y wraig a yrrodd heibio a honni ei bod wedi gweld John Actie y tu allan i'r fflat.

Roedd yr achos yn erbyn Yusef Abdullahi'n ddibynnol ar dystiolaeth dau ddyn a oedd yn credu ei fod wedi mynd yn ôl i Gaerdydd o'r Barri y noson honno.

Gwadodd Miller iddo ladd Lynette a dywedodd wrth y llys mai'r unig reswm y cyfaddefodd i'w lladd oedd oherwydd mai dyna yr oedd yr heddlu eisiau ei glywed. Dywedodd Paris ei fod yn casglu gwydrau yng nghlwb nos y Casablanca y noson honno a gwadodd yntau ei fod wedi lladd y butain. Gwadodd hefyd fod Miller yn gyfaill iddo. Gwadodd Abdullahi, yn ogystal, ei fod wedi lladd Lynette, a thaerodd eto ei fod ar y *Coral Sea*. Tystiodd sawl un fod hyn yn wir. Doedd John Actie ddim yn adnabod y diffynyddion eraill ac nid oedd yn cymysgu â phuteiniaid. Penderfynodd Ronnie Actie beidio â rhoi tystiolaeth o flaen y llys.

Treuliodd Meistr Ustus Leonard chwe niwrnod yn crynhoi'r dystiolaeth. Fe aeth y rheithgor i ystyried y rheithfarn ar 19 Tachwedd 1990 ac ar 22 Tachwedd daeth yr achos llofruddiaeth hiraf yn hanes cyfreithiol Cymru a Lloegr i ben.

Cafwyd Ronnie a John Actie yn ddieuog o lofruddio Lynette White.

Cafwyd Steve Miller, Tony Paris, a Yusef Abdullahi yn euog.

Pan gyhoeddwyd y rheithfarn, dywedodd Abdullahi wrth y rheithgor, "Doeddwn i ddim hyd yn oed yng Nghaerdydd. Rydych chi wedi cipio 'mywyd i. Rydw i'n ddieuog."

Y tu allan i'r llys, ar ôl iddynt gael eu rhyddhau, cyhoeddodd Ronnie a John Actie fod tri dyn dieuog wedi cael eu hanfon i'r carchar.

* * *

Yn ôl Satish Sekar, yn ei lyfr *Fitted In*, credir bod hyd yn oed y barnwr, Meistr Ustus Leonard, wedi cael ei syfrdanu gan y rheithfarn.

Roedd y rheithgor wedi derbyn gair y tystion fod Miller, Paris ac Abdullahi yno, a'u bod wedi lladd Lynette – ond roedd yr un rheithgor yn credu bod yr un tystion yn dweud celwydd am bresenoldeb yr Acties. Ymddengys hefyd eu bod wedi derbyn cyfaddefiad Miller, a oedd yn enwi Paris fel un o'r llofruddion.

Prin fod y braw wedi pylu pan sefydlwyd y pwyllgor a ddeuai'n ddiweddarach yn Ymgyrch Tri Caerdydd. Teulu Abdullahi a theulu Paris oedd yn gyfrifol am gychwyn y frwydr i brofi'r tri'n ddieuog, ond roeddynt hefyd yn gweithredu ar ran Miller. Cyn bo hir, roedd newyddiadurwyr a darlledwyr, yn ogystal ag ymgyrchwyr cyfiawnder, yn edrych i mewn i'r achos ac i'r rheithfarn.

Papur newydd yr *Observer* oedd y papur cenedlaethol cyntaf i amau'r rheithfarn, a hynny mewn erthygl yn Chwefror 1991. Mis yn ddiweddarach, cyhoeddodd y *Guardian* erthygl yn amau'r rheithfarn, a darlledwyd rhaglen ynglŷn â'r achos ar Channel 4.

Erbyn hyn, roedd cyfreithwyr Tri Caerdydd wedi derbyn datganiadau a wnaethpwyd gan 22 o dystion yn ystod ymchwiliad yr heddlu i'r llofruddiaeth. Roedd y datganiadau hyn â'r potensial i gadarnhau alibïau'r dynion. Roedd yr erlyniad wedi dewis peidio â'u datgelu yn ystod yr achos.

Ar 5 Mai 1991, enillodd Paris ac Abdullahi yr hawl i apelio. Dechreuodd Satish Sekar ymwneud â'r achos yn y cyfnod hwn, a chynorthwyodd Miller i ddod o hyd i gyfreithiwr newydd. Cysylltodd Sekar â Gareth Peirce, y gyfreithwraig a oedd wedi chwarae rhan yn apeliadau llwyddiannus Pedwar Guildford a Chwe Birmingham.

Cyhuddwyd Paul Hill, Gerry Conlon, Patrick Armstrong a Carole Richardson o fomio tafarndai yn nhref Guildford, Swydd Surrey, yn 1974, a blwyddyn yn ddiweddarach fe'u carcharwyd am oes. Rhyddhawyd nhw wedi apêl yn 1989, a dilewyd y cyhuddiadau yn eu herbyn.

Carcharwyd Hugh Callaghan, Patrick Joseph Hill, Gerard Hunter, Richard Mcilkenny, William Power a John Walker am oes yn 1975 am fomio tafarndai ym Mirmingham ond ennillasant eu hapêl yn 1991.

Erbyn hyn, roedd yr ymgyrch i ryddhau Tri Caerdydd yn cynyddu ac fe wnaeth Gerry Conlon ddatgan ei gefnogaeth iddynt.

Ym mis Chwefror 1992, darlledwyd 'Unsafe Convictions' gan rhaglen *Panorama* y BBC, a oedd yn dangos pam bod y rheithfarn yn achos Tri Caerdydd yn anghywir.

O fewn y flwyddyn, ar 7 Rhagfyr 1992, dechreuodd

apêl Tri Caerdydd o flaen yr Arglwydd Brif Ustus, yr Arglwydd Taylor, Meistr Ustus Laws a Meistr Ustus Popplewell.

Roedd pedair blynedd union wedi mynd heibio ers i Miller, Paris ac Abdullahi gael eu harestio.

* * *

Michael Mansfield QC oedd bargyfreithiwr y tri. Mae Mr Mansfield yn amlwg iawn i'r rhai sy'n dilyn achosion sylweddol fel apêl Tri Caerdydd. Mae wedi cynrychioli Pedwar Guildford a Chwe Birmingham ac eleni cynrychiolodd Mohamed Fayed yng nghwest y Dywysoges Diana.

Dadleuodd fod Heddlu De Cymru wedi dibynnu ar dystion annibynadwy. Cyhuddodd y ditectifs a oedd wedi holi Miller o'i fwlio a'i gamarwain er mwyn iddo gyfaddef. Cyfeiriodd hefyd at y gwaed a ddarganfuwyd yn y fflat. Roedd y gwaed yn perthyn i grŵp prin – ond nid gwaed yr un o'r tri a gyhuddwyd o'r drosedd ydoedd.

Chwaraewyd, hefyd, y tâp o'r seithfed cyfweliad gyda Miller yn y Llys Apêl. Dyma'r tro cyntaf i'r cyfweliad cyfan gael ei glywed mewn llys. Yn yr achosion llys gwreiddiol, dim ond hyd at dudalen 17 o drawsgript y cyfweliad a glywyd gan y rheithgor ond, yn allweddol, ni ddechreuodd y bwlio a'r gormesu tan dudalen 20.

Ac wrth i'r cyfweliad gael ei chwarae yn ei gyfanrwydd, roedd hi'n amlwg i bawb yn y Llys Apêl fod yr achos yn erbyn Miller yn cael ei chwalu. Ond dadleuodd David Elfer, ar ran y Goron, nad cyfaddefiad Miller yn unig a oedd wedi condemnio Paris – nododd fod achos annibynnol yn ei erbyn, wedi deillio o dystiolaeth Ian Massey.

"Ry'ch chi'n cyfeirio at y twyllwr a'r lleidr arfog hwnnw," meddai Meistr Ustus Law – ymateb syfrdanol a oedd yn dangos pa mor dila roedd yr achos yn erbyn Paris. Pan fentrodd Mr Elfer ddadlau bod achos annibynnol yn erbyn Abdullahi, doedd y Llys Apêl ddim yn frwdfrydig iawn.

Ar 16 Rhagfyr, datganodd y Llys Apêl na ddylai'r rheithgor yn yr achos llys fod wedi dibynnu ar gyfaddefiad Miller i gyhuddo Paris ac Abdullahi. Roedd y cyfaddefiad yn dystiolaeth yn eu herbyn. Ac er i'r barnwr, Meistr Ustus Leonard, atgoffa'r rheithgor o hyn, roeddent wedi anwybyddu ei gyngor. Dywedodd y Llys Apêl fod natur ormesol y cyfweliadau yn annerbyniol, ac na ellid eu defnyddio fel tystiolaeth yn erbyn yr un o'r tri. Roedd y rheithfarnau, felly, yn annerbyniol ac yn anniogel.

Roedd hunllef Tri Caerdydd ar ben, ond ni wrandawyd ar apêl y tri yn ei gyfanrwydd – mewn gwirionedd, ar sail cyfweliad Miller y cawsant eu rhyddhau.

Roedd Heddlu De Cymru yn anhapus â rheithfarn

y Llys Apêl, ac fe wnaethon nhw wrthod ailagor yr ymchwiliad i lofruddiaeth Lynette White – roeddent fwy neu lai'n datgan eu bod yn credu mai Miller, Abdullahi a Paris a oedd yn gyfrifol. Roedd yr heddlu'n rhoi'r argraff mai ar fater technegol y rhyddhawyd y tri. Er hyn, sefydlodd Heddlu De Cymru gyfundrefn fwy moesol o holi rhai dan ddrwgdybiaeth, a hynny yn sgil dileu'r cyhuddiadau yn achos y Tri.

Ond, er dathlu Tri Caerdydd, er dirmyg yr heddlu, roedd llofrudd Lynette White yn dal i fod â'i draed yn rhydd.

* * *

Gwaith ymchwil y newyddiadurwr Satish Sekar a arweiniodd at ailagor yr ymchwiliad. Cafodd gymorth gan Alun Michael, yr aelod seneddol a oedd yn cynrychioli ardal Tre-biwt, a hefyd yn llefarydd yr Wrthblaid ar faterion cartref. Ymchwiliodd Sekar i ddatblygiadau mewn profion DNA. Fe wnaethpwyd camgymeriadau gwyddonol yn ystod yr ymchwiliad gwreiddiol ond roedd y broses wedi aeddfedu erbyn 1995.

Ym Mai 1996, trefnodd Sekar a mam Lynette, Peggy Pesticcio, gyfarfod gyda'r Ditectif Prif Uwch-arolygydd David Jones a'r Prif Gwnstabl Cynorthwyol Paul Wood o Heddlu De Cymru. Roedd datganiad yr heddlu yn sgil dileu'r cyhuddiadau yn erbyn Miller, Paris ac Abdullahi yn 1992 yn awgrymu eu bod hwy yn dal i gredu mai'r tri dan sylw a oedd yn gyfrifol am y drosedd.

Ond, yn y cyfarfod gyda mam Lynette a'r newyddiadurwr, datganodd Mr Jones fod Pump Caerdydd – gan gynnwys y cefndryd Actie – yn ddieuog. Roedd Heddlu De Cymru'n amlwg yn gwneud eu gorau glas i geisio datrys y drosedd ond byddai blynyddoedd yn mynd heibio eto cyn iddynt lwyddo.

* * *

Darganfuwyd smotyn o waed ar seloffen o becyn sigarét yn fflat Lynette White. Rhwygodd yr heddlu'r sgertin o wal y fflat a dod o hyd i samplau pellach o'r un gwaed.

Drwy ddefnyddio gwyddoniaeth fforensig, a oedd wedi datblygu'n sylweddol ers yr ymchwiliad gwreiddiol i lofruddiaeth Lynette, cafodd yr heddlu restr o 600 o enwau a oedd â phroffil DNA tebyg i'r gwaed.

Roedd un proffil yn sefyll allan. Dechreuodd yr heddlu brofi aelodau eraill o deulu'r unigolyn oedd ar eu rhestr. Ymwelodd yr heddlu â Jeffrey Gafoor tra oedd o'n gweithio ar safle adeiladu. Cytunodd Gafoor, 38 oed, i dderbyn prawf DNA. Roedd y prawf yn bositif. Gwaed Jeffrey Gafoor oedd wedi ei dywallt yn fflat Lynette White yn ystod oriau mân 14 Chwefror 1988.

*   *   *

Magwyd Gafoor yn Nhreláí a Splott, yng Nghaerdydd. Ef oedd yr ieuengaf o bump o blant. Yn 1988, pan laddwyd Lynette, roedd o'n byw gyda'i chwaer a'i gŵr mewn siop yn y Rhath, Caerdydd. Prin y byddai Gafoor yn mynd allan. Treuliai ei amser yn gweithio, yn darllen neu'n gwylio'r teledu. Fyddai o ddim yn mynychu tafarndai na chlybiau; doedd o ddim yn yfed nac yn smocio nac yn defnyddio cyffuriau. Doedd ganddo ddim cariad ac roedd o'n byw yn ei gragen. Doedd ganddo fawr o ffrindiau yn yr ysgol, ac ni lwyddodd i ffurfio cyfeillgarwch newydd fel oedolyn.

Yn 1991, fe aeth i'r Almaen i weithio gyda'i frawd-yng-nghyfraith. Tra oedd yno, ni aeth allan o'i ffordd i ddod i adnabod merched lleol – er nad oedd prinder ohonyn nhw, yn ôl ei frawd-yng-nghyfraith. Roedd Gafoor yn troi ei drwyn wrth weld pornograffi.

Ond, yn 1992, cafodd ei hun o flaen ei well. Cyfaddefodd iddo daro cyd-weithiwr â hanner bricsen yn dilyn ffrae. Fe'i dedfrydwyd o i 80 awr o wasanaeth cymunedol.

Yn 1993, gadawodd y siop yn y Rhath, ac fe aeth i fyw mewn fan cyn symud i fflatiau. Dechreuodd weithio fel gwarchodwr, a symudodd i Lanharan, ger Pen-y-bont. Gweithiai gyda'r nos a doedd ei gymdogion yn y pentref ddim yn ei adnabod. Byddai'r llenni wedi'u cau, ac ni fentrai Gafoor o'r tŷ'n aml iawn yn ystod y dydd. Yn ôl ei gymdogion doedd fawr neb yn ymweld ag o, ond roedd o'n ddigon dymunol os oedd rhywun yn digwydd dod ar ei draws.

* * *

Erbyn 28 Mawrth 2003, roedd yr heddlu'n cadw llygad ar Gafoor yn sgil y prawf DNA positif. Gwelodd yr heddlu Gafoor yn prynu tabledi paracetamol mewn pedair siop wahanol ac fe ddechreuon nhw bryderu ei fod yn bwriadu ei ddifa'i hun. Am 9.30 p.m. torrodd yr heddlu i mewn i'w gartref yn Llanharan – roedd o wedi cymryd 64 o dabledi ac yn barod i farw.

Rhuthrwyd Gafoor i'r ysbyty, ac wrth gael ei gludo yno, dechreuodd ysgwyd. Dywedodd, "Er mwyn i bawb gael gwybod, fi laddodd Lynette White. Rydw i wedi bod yn aros i ddweud hynny ers 15 mlynedd. Rydw i'n gobeithio y bydda i'n marw." Ac yn yr ysbyty, dywedodd wrth yr heddlu ei fod yn barod i wynebu ei gosb a'i fod yn edrych ymlaen at farwolaeth.

Roedd Gafoor wedi mynd i'r dociau y noson dyngedfennol honno i chwilio am butain. Cytunodd i dalu £30 i Lynette White am ryw. Ond ar ôl iddo gyrraedd ei fflat hi yn Stryd James, newidiodd ei feddwl a mynnu cael ei arian yn ôl. Dechreuodd Gafoor a Lynette ddadlau, a datblygodd y ffrae'n ymladd corfforol. Roedd gan Gafoor gyllell. Roedd o'n cario'r arf, meddai, oherwydd y credai fod yr ardal yn beryglus gyda'r nos. Roedd criw o buteiniaid wedi dwyn arian oddi arno rai misoedd ynghynt.

Wrth i Lynette a Gafoor ymladd, fe'i trywanwyd hi. Honnodd Gafoor nad oedd yn gwybod yn iawn beth a ddigwyddodd wedyn. Roedd arno gywilydd, meddai; roedd mewn trybini ac fe ymosododd yn frwnt ar Lynette gyda'r gyllell.

Roedd yr ymosodiad ar Lynette yn farbaraidd. Trywanwyd hi dros 50 o weithiau. Ac yna, ar ôl llofruddio Lynette, dychwelodd Gafoor i'w fywyd anhysbys.

Yn yr achos yn Llys y Goron Caerdydd ym mis Gorffennaf 2003, plediodd Gafoor yn euog i lofruddio Lynette a charcharwyd o am oes. Ymddiheurodd i'r llys am ladd Lynette, am y pryder a achosodd i'w theulu ac i'r dynion dieuog a gyhuddwyd o'i llofruddiaeth. Dywedodd chwaer Lynette, Keira White, ar ôl y ddedfryd fod teulu'r butain ifanc yn dal i'w cholli, ac ni allai geiriau gyfleu'r effaith a gafodd y llofruddiaeth arnyn nhw fel teulu.

Wythnos yn ddiweddarach, ysgrifennodd Sir Anthony Burden, Prif Gwnstabl Heddlu De Cymru, lythyrau personol at Dri Caerdydd. Ymddiheurodd yn ffurfiol i Steve Miller, Tony Paris ac Yusef Abdullahi am iddynt gael eu cyhuddo a'u dedfrydu ar gam am ladd Lynette. Ond dywedodd Paris y dylai Burden ymddiheuro'n bersonol, wyneb yn wyneb, a hefyd y dylai ymddiheuro i'w deulu ac i'w ffrindiau – yn gyhoeddus ar y teledu. Roedd yn rhaid i rywun, meddai Paris, gymryd y cyfrifoldeb am eu carcharu. "Mi fuaswn i'n hoffi ei gyfarfod (Burden) er mwyn iddo allu ymddiheuro i mi ac i fy mam," meddai Paris wrth y wasg. "Mae rhywun yn gyfrifol am fy anfon i'r carchar ac am ddinistrio cymuned gyfan."

* * *

Yn fuan wedi dedfrydu Gafoor, dechreuodd Heddlu De Cymru ymchwilio drachefn i achos Lynette White. Yn 2005, fel rhan o'r ymchwiliad, fe arestiwyd nifer o bobl – yn eu mysg roedd heddweision. Cyhoeddwyd ym mis Mawrth eleni (2008) fod mechnïaeth 15 o'r rheini sydd wedi eu harestio wedi ei ymestyn hyd at Fawrth 2009. Mae hyn wedi cynddeiriogi un o'r cyn-heddweision sydd wedi ei arestio. Meddai wrth y *Western Mail* yn gynharach eleni: "Fe gefais fy arestio yn Ebrill 2005 ac erbyn y bydd penderfyniad yn cael ei wneud i fy erlyn i neu beidio, bydd bron pedair blynedd wedi mynd heibio."

Bydd hynny ymron i 21 mlynedd yn union i'r mis pan laddwyd Lynette White mewn fflat ddi-nod ac anghynnes yn nociau Caerdydd. Mae'r ffrae a gafodd y butain ifanc gyda Jeffrey Gafoor dros bitw £30 wedi atseinio dros y blynyddoedd ac wedi effeithio ar gynifer o bobl. A neb yn fwy na theulu Lynette, wrth gwrs, a arhosodd am 15 mlynedd cyn i'w merch gael cyfiawnder; a hefyd Steve Miller, Tony Paris, Yusef Abdullahi, a Ronnie a John Actie – yn enwedig Miller, Paris, ac Abdullahi, a dreuliodd flynyddoedd yn y carchar am drosedd nad oeddent wedi ei chyflawni.

Nodyn yr awdur: Yn Chwefror 2007 cyhuddwyd Paul Atkins, Mark Grommek, Learnne Vilday ac Angela Psaila mewn cysylltiad â'r achos yn erbyn Steve Miller, Yusef Abdullahi, Tony Paris, John Actie a Ronnie Actie. Cyhuddwyd y pedwar o ddweud celwydd ar lw yn Llys Ynadon Caerdydd yn Chwefror 1989 ac yn Llys y Goron Abertawe ym Mehefin 1990. Cyhuddwyd Grommek, Vilday a Psaila o dyngu llw celwyddog hefyd yn Llys y Goron Abertawe yn 1989. Bydd yr achos yn erbyn y pedwar yn cychwyn yn Hydref 2008.

ÔL-NODYN: CYMORTH I DDIODDEFWYR

Dyw troseddwyr ddim yn parchu pobl. Bydd troseddu yn effeithio ar bobl gyfoethog ac ar bobl dlawd fel ei gilydd, o enwogion i'r unigolion mwyaf cyffredin. Pur anaml y bydd troseddu'n effeithio ar ddim ond un parti ond gall effeithio ar gymuned gyfan fel y gwelir yn nifer o'r achosion yn y llyfr hwn.

Yng Nghymru gallwn ymfalchïo oherwydd bod gennym gymunedau clòs a llawn gofal, ac felly mae'r effaith yn llawer mwy pan geir achos o lofruddiaeth, neu drosedd debyg. Nid yw'n anarferol i bentref, tref, neu hyd yn oed genedl gyfan fod wedi'i dychryn a'i darostwng gan rai troseddau. Ond tra bydd y gymuned yn gyffredinol yn symud ymlaen maes o law, mae rhai unigolion a oedd yn agosach at wraidd y drosedd yn canfod eu bywydau yn deilchion. Gall gweithredoedd troseddol fod yn arbennig o anodd i bobl ddod i delerau â hwy oherwydd, yn wahanol i drychinebau naturiol, damweiniau a digwyddiadau niweidiol eraill, mae gweithredoedd troseddol yn fwriadol. Gall y profiad newid canfyddiad unigolyn o'r byd a'r pethau o'i gwmpas. Ceir llawer o wahanol ymatebion, ond mae'r teimladau cyffredin yn amrywio o ofn, sioc a phryder i lid, trallod a dicter. Mae rhai pobl yn beio eu hunain ac mae iselder yn ganlyniad llawer rhy gyffredin.

Mae Cymorth i Ddioddefwyr wedi bod yn helpu'r rheini sydd wedi dioddef troseddau yng Nghymru ers bron i 35 mlynedd. Roeddem wedi dechrau fel grwpiau bach o unigolion a oedd yn pryderu bod dioddefwyr yn cael eu gadael i roi trefn ar eu bywydau drylliedig, weithiau ar eu pen eu hunain ac yn aml heb gymorth, a hynny ar adeg pan oedd mwy o adnoddau yn cael eu creu er mwyn atal troseddu.

Gwelir effaith bersonol troseddau fel drygioni angenrheidiol yn rhy aml; dim ond yng nghyswllt sicrhau euogfarnau neu gyflwyno mesurau atal troseddu y trafodir y broses o ddelio â throseddau.

Mae profiad yn dangos i ni y gellir gwella unigolyn i ddod i delerau â throsedd yn sylweddol pan fydd pobl eraill yn cydnabod arwyddocâd y digwyddiad.

Y llynedd cynigiodd Cymorth i Ddioddefwyr yng Nghymru gymorth i dros 60,000 o bobl a oedd wedi dioddef trosedd a helpu dros 20,000 o dystion ym mhob Llys Ynadon a Llys y Goron yng Nghymru. Darperir ein gwasanaeth yng Nghymru drwy ddefnyddio gwirfoddolwyr hyfforddedig, sy'n cael cymorth gan tua 70 aelod o staff cyflogedig. Nid oes gennym ffon hud ac ni allwn wella'r boen y mae rhai pobl yn ei ddioddef. Fodd bynnag, pan fydd dioddefwyr yn profi gofid, gall Cymorth i Ddioddefwyr fod wrth law i wrando.

Gallwn helpu tystion i ddeall ein system gyfiawnder, sy'n gymhleth ar brydiau, a chynnig cyngor ymarferol ar sut i wneud cais am iawndal am Anafiadau Troseddol. Weithiau gall dim ond caredigrwydd a chefnogaeth gan unigolyn arall helpu i ailsefydlu ffydd yn y ddynoliaeth a rhoi egni i symud ymlaen yn ei fywyd.

John Bellis
Cadeirydd, Cymorth i Ddioddefwyr Cymru